The Big Guitar Chord Songbook

More Sixties Hits

Wise Publications
London/New York/Paris/Sydney/Copenhagen/Berlin/Madrid/Tokyo

CW00540174

Published by:
Wise Publications
8/9 Frith Street, London, W1D 3JB, England.

Exclusive Distributors:
Music Sales Limited
Distribution Centre, Newmarket Road, Bury St Edmunds, Suffolk, IP33 3YB, England.
Music Sales Pty Limited
120 Rothschild Avenue, Rosebery, NSW 2018, Australia.

Order No. AM91933
ISBN 0-7119-4049-5
This book © Copyright 2005 by Wise Publications,
a division of Music Sales Limited.

Edited by David Harrison.
Music processed by Paul Ewers Music Design.
Compiled by Nick Crispin.

Printed in the United Kingdom by
Caligraving Limited, Thetford, Norfolk.

www.musicsales.com

Ain't Got No - I Got Life

Words & Music by Galt MacDermot, James Rado & Gerome Ragni

Em	G	D	Bm7	C	D7	Am7

Intro | Em | Em | Em | Em ||

Verse 1

                Em   G
I ain't got no home, ain't got no shoes

                             G
Ain't got no money, ain't got no class

          D   Bm7
Ain't got no skirts, ain't got no sweater

                Em   C   D7
Ain't got no perfume, ain't got no bed

                G   C G
Ain't got no mind____

                Em   G
Ain't got no mother, ain't got no culture

                Em   G
Ain't got no friends, ain't got no schooling

          D   Bm7
Ain't got no love, ain't got no name

                Em   C   D7
Ain't got no ticket, ain't got no token

                G   C G
Ain't got no God____

Pre-chorus 1

       C
And what have I got?

             Am7
Why am I a - live anyway?

Yeah, what have I got

          D7
Nobody can take away?

Chorus 1

```
         G               C
I got my hair, got my head
         G               C
Got my brains, got my ears
         G
Got my eyes, got my nose
         Bm7            Am7  D7
Got my mouth, I got my smile____
         G               C
I got my tongue, got my chin
         G               C
Got my neck, I got my boobs
         G
Got my heart, Got my soul
         Bm7            Am7  D7
Got my back, I got my sex____
         Em            Bm7
I got my arms, got my hands
         Em            Bm7
Got my fingers, got my legs
         Em            Bm7
I got my feet, got my toes
         Am7  D7       G
Got my liver, got my blood
```

Outro

```
         Am7           C       D7
I've got life, I got my freedom____
         G   C  G
I got a life
C       G       C       G     C
I've got life and I'm gonna keep it
         G
I've got life
C               G           C
And nobody's gonna take it away
         G   C  G
I've got life_____
```

All Or Nothing

Words & Music by Wayne Hector & Steve McCutcheon

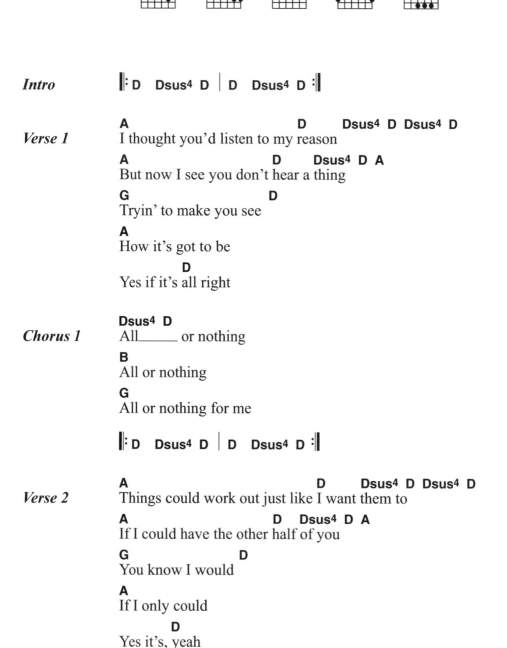

Intro ‖: D Dsus4 D │ D Dsus4 D :‖

Verse 1
A   D   Dsus4 D Dsus4 D
I thought you'd listen to my reason
A   D   Dsus4 D A
But now I see you don't hear a thing
G   D
Tryin' to make you see
A
How it's got to be
       D
Yes if it's all right

Chorus 1
Dsus4 D
All_____ or nothing
B
All or nothing
G
All or nothing for me

‖: D Dsus4 D │ D Dsus4 D :‖

Verse 2
A   D   Dsus4 D Dsus4 D
Things could work out just like I want them to
A   D   Dsus4 D A
If I could have the other half of you
G   D
You know I would
A
If I only could
       D
Yes it's, yeah

Chorus 2

Dsus4 D
All_____ or nothing

B
All or nothing

G
All or nothing for me

‖: **D   Dsus4 D** | **D   Dsus4 D** :‖

Verse 3

A
Ba, ba, ba, ba-da

            D   **Dsus4 D Dsus4 D**
Ba, ba, ba-da, ba

A
Ba, ba, ba, ba-da

            D   **Dsus4 D A**
Ba, ba, ba-da, ba

G   **D**
I ain't telling you no lie girl

A   **D**
So don't just sit there and cry girl

Chorus 3

Dsus4 D
All_____ or nothing

B
All or nothing

G
All or nothing

                A
Gotta, gotta, gotta keep on trying

D   **A**
All or nothing

B
All or nothing

G
All or nothing

     A   **D**
For me, for me, for me

Chorus 4

Dsus4 D
All_____ or nothing

B
All or nothing

G
All or nothing for me

| **D   Dsus4 D** | **D   Dsus4 D** | **D   Dsus4 D** | **D** | ‖

7

All You Need Is Love

Words & Music by John Lennon & Paul McCartney

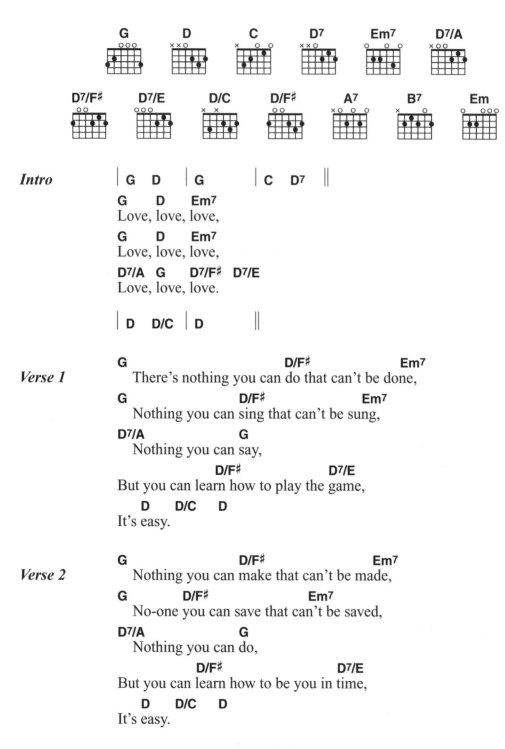

G	D	C	D7	Em7	D7/A

D7/F♯	D7/E	D/C	D/F♯	A7	B7	Em

Intro
   | G   D | G | C   D7 ||

G   D   Em7
Love, love, love,

G   D   Em7
Love, love, love,

D7/A G   D7/F♯ D7/E
Love, love, love.

   | D D/C | D ||

Verse 1

G   D/F♯   Em7
There's nothing you can do that can't be done,

G   D/F♯   Em7
Nothing you can sing that can't be sung,

D7/A   G
Nothing you can say,

                D/F♯   D7/E
But you can learn how to play the game,

      D   D/C   D
It's easy.

Verse 2

G   D/F♯   Em7
Nothing you can make that can't be made,

G   D/F♯   Em7
No-one you can save that can't be saved,

D7/A   G
Nothing you can do,

                D/F♯   D7/E
But you can learn how to be you in time,

      D   D/C   D
It's easy.

Chorus 1

G   A7   D   D7
All you need is love,

G   A7   D   D7
All you need is love,

G   B7   Em   Em7
All you need is love, love,

C   D7   G
Love is all you need.

Link

G   D   Em7
(Love, love, love,)

G   D   Em7
(Love, love, love,)

D7/A   G   D7/F♯   D7/E
(Love, love, love.)

| D   D/C | D   ‖

Chorus 2

As Chorus 1

Verse 3

G   D/F♯   Em7
There's nothing you can know that isn't known,

G   D/F♯   Em7
There's nothing you can see that isn't shown,

D7/A   G
There's nowhere you can be

            D/F♯   D7/E
That isn't where you're meant to be,

   D   D/C   D
It's easy.

Chorus 3

As Chorus 1

Chorus 4

As Chorus 1

Coda

G
Love is all you need.

(Love is all you need.)

   (G)
‖: Love is all you need.

(Love is all you need.) :‖ *Repeat to fade*

9

Baby Come Back

Words & Music by John C. Crowley & Peter Beckett

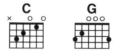

Intro | C   G | C   G | C   G | C   G | C   G | C   G ‖

Chorus 1
```
        C    G
Come back
          C    G
Baby, come back
          C    G
Baby, come back
          C    G
Baby, come back
```

Verse 1
```
        G
This is the first time until today

That you have run away

I'm asking you for the first time

Lover you know that it's fair

Hey, hey, hey
```

Chorus 2
```
        C    G
Come back
          C    G
Baby, come back
          C    G
Baby, come back
          C    G
Baby, come back
```

Verse 2
      G
There ain't no use in you crying

'Cos I'm more hurt than you, yeah

I shouldn't caught, been a-flirting

But now my love is a-true, yeah

Ooh yeah, ooh yeah

Ooh yeah

Chorus 3
     C   **G**
Come back
       C   **G**
Baby, come back
       C   **G**
Baby, come back
       C   **G**
Baby, come back

Verse 3
      G
Come back baby don't you leave me

Baby, baby, please don't go

Oh won't you give me a second chance

Baby, I love you so

Oh, oh yeah

Oh yeah

Chorus 4
      C   **G**
‖: Come back
       C   **G**
Baby, come back
       C   **G**
Baby, come back
     C   **G**
Baby, come back :‖ *Repeat ad lib. to fade*

Bad To Me

Words & Music by John Lennon & Paul McCartney

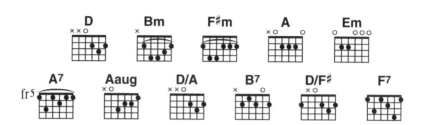

Intro

D
If you ever leave me,

Bm
I'll be sad and blue

F♯m
Don't you ever leave me

Em   A⁷
I'm so in love with you

Chorus 1

      D   F♯m/C♯   Bm   A
The birds in the sky would be sad and lonely

        D   F♯m/C♯ Bm   A
If they knew that I'd lost my one and only

         G   Aaug D D/A F♯m A⁷
They'd be sad, if you're bad to me

        D   F♯m/C♯   Bm
The leaves on the trees would be softly sighing

        D   F♯m/C♯   Bm
If they heard from the breeze that you left me crying

      G   Aaug D
They'd be sad, don't be bad to me

Verse 1

            G   A
But I know you won't leave me 'cos you told me so

  F♯m   B⁷
And I've no intention of letting you go

Em   A
Just as long as you let me know

    D/F♯   F⁷   Em Aaug
You won't be bad to me

Chorus 2

         D   **F♯m/C♯**   **Bm**   **A**
So the birds in the sky won't be sad and lonely
              D   **F♯m/C♯**   **Bm**   **A**
'Cos they know that I've got my one and only
            G   **Aaug**
They'll be glad, you're not bad to me

Instr | **D F♯m/C♯** | **Bm** | **D F♯m/C♯** | **Bm** |

             | **G** | **Aaug** | **D** | **D** ||

Verse 2

                    G   **A**
But I know you won't leave me 'cos you told me so
        F♯m   **B7**
And I've no intention of letting you go
Em   **A**
Just as long as you let me know
      D/F♯   **F7**   **Em Aaug**
You won't be bad to me

Chorus 3

         D   **F♯m/C♯**   **Bm**   **A**
So the birds in the sky won't be sad and lonely
              D   **F♯m/C♯**   **Bm**   **A**
'Cos they know that I've got my one and only
            G   **Aaug A B7m**
They'll be glad, you're not bad to me
            G   **Aaug D F♯m/C♯ Bm A**
They'll be glad, you're not bad to me____
       D F♯m/C♯ Bm A
To me____
       D F♯m/C♯ Bm A
To me____

Baby Now That I've Found You

Words & Music by Tony Macauley & John MacLeod

Dsus2 **Cadd9** **G6/B** **B♭6(#11)** **E7** **D5/G**

Asus2 **G*** **A*** **Em7** **Gsus2** **B**

F#m **B♭5** **Em** **Em9** **D5** **G**

Capo first fret

Intro | Dsus2 | Cadd9 | G6/B | B♭6(#11) | Dsus2 | E7 | D5/G | Asus2 |

Verse 1

    Dsus2 Cadd9
Baby,   now that I've found you

       G6/B
I won't let you go

          B♭6(#11)
I built my world around you

    Dsus2
I need you so,

      E7
Baby even though

        D5/G   **Asus2**
You don't need me now.

  Dsus2 Cadd9
Baby,   now that I've found you

      G6/B
I won't let you go

       B♭6(#11)
I built my world around you

   Dsus2
I need you so,

    E7
Baby even though

      D5/G
You don't need me,

Asus² | Dsus² |

You don't need me, no, no.

| Cadd⁹ G* A* | Dsus² | Cadd⁹ G* A* |

Verse 2

Dsus²   Em⁷

  Baby, baby, when first we met

 Gsus²   Asus²

I knew in this heart of mine,

Dsus²   Em⁷

  That you were someone I couldn't forget

   Gsus²   Asus²

I said right, and abide my time.

B

  Spent my life looking

F♯m

For that somebody

B   F♯m   B   B♭5

  To make me feel like new

Asus²   Em

  Now you tell me that you wanna leave me

G   Asus²   Dsus² Cadd⁹ G6/B B♭6(♯11)

  But darling, I just can't let you,   ooh.

x2

Instrumental ‖: Dsus² | Cadd⁹ | G6/B | B♭6(♯11) | Dsus² | E7 | D5/G | Asus² :‖

Verse 3

Dsus²   Em⁷

  Baby, baby, when first we met

 Gsus²   Asus²

I knew in this heart of mine

Dsus²   Em⁷

  That you were someone I couldn't forget

   Gsus²   Asus²

I said right, and abide my time.

B

  Spent my life looking

F♯m

For that somebody

B   F♯m   B   B♭5

  To make me feel like new

Asus²   Em⁹

  Now you tell me that you wanna leave me

G   Asus²   Dsus² Cadd⁹ G6/B B♭6(♯11)

  But darling, I just can't let you. _____

Verse 4

Dsus2 Cadd9

Now that I found you

G6/B   **B♭6(♯11)**

I built my world around you

  Dsus2   **E7**   **D5/G**   **Asus2**

I need you so, baby even though you don't need me now.

Dsus2 Cadd9

Baby, now that I've found you

    G6/B

I won't let you go

    B♭6(♯11)

I built my world around you

Dsus2

I need you so,

   E7

Baby even though,

    D5/G

You don't need me

      Asus2 | **Dsus2** |**Cadd9**   **G* A*** |

You don't need me, no, no.

Outro   ‖: **Dsus2** |**Cadd9**   **G* A*** :‖ **D5**   ‖

16

Beyond The Sea

Original Words & Music by Charles Trenet
English Words by Jack Lawrence

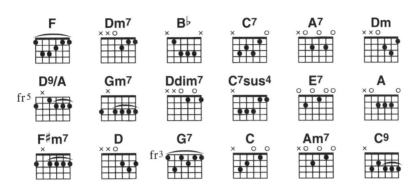

Intro

| F Dm7 | B♭ C7 | F Dm7 | B♭ C7 ‖

Chorus 1

F   Dm7 B♭
Some - where_____

C7   F   Dm7
Be - yond the sea

B♭   C7   F A7 Dm
Some - where waiting for me

C7   F   Dm B♭ D9/A Gm7
My lover stands on golden sands____

C7   F   Gm7 Ddim7 C7
And watches the ships that go sail - ing

Verse 1

F   Dm7 B♭
Somewhere_____

C7   F   Dm7
Be - yond the sea

B♭   C7   F A7 Dm
She's there watching for me

C7   F   Dm7   D9/A Gm7
If I could fly like birds on high

C7   Dm7 Gm7 C7sus4 F   E7
Then straight to her arms I'd go sail - ing

Verse 2

      A F♯m D
It's far_____

      E7   **A F♯m**
Be - yond the star_____

    D E7   **A F♯m7 G7**
It's near beyond the moon

   C Am7 F
I know_____

     G7   **C**   **Am7 F**
Be - yond a doubt_____

     G7   **C**   **Am7 Gm7 C9**
My heart will lead me there soon

      F   Dm7 B♭
We'll meet_____

     C7   **F**   **Dm7**
Be - yond the shore_____

    B♭ C7   **F   A7 Dm**
We'll kiss just as be - fore

C7   **F**   **Dm7**   **B♭ D7/A Gm7**
Happy we'll be be - yond the sea

     C7   **Dm7 Gm7 C7**   **F**
And never a - gain__ I'll go sail - ing

Instr

| **F** | **Dm7** | **B♭** | **C7** | **F** | **Dm7** | **B♭** | **C7** |

| **F** | | **F** | | **F** | | **F** | |

| **F** | **Dm7** | **Gm7** | **A7** | **Gm7** | **C7** | **F** | **Gm7** |

| **A** | | **E7** | | **A** | | **G7** | ‖ |

Verse 3

    C   **Am⁷** **Dm⁷**
I know＿＿

      G⁷   **C**   **Am⁷**
Be - yond a doubt

    Dm⁷ **G⁷**   **C**   **Gm⁷** **C⁹**
My heart＿＿ will lead me there soon＿＿

      F   **Dm⁷**   **B♭**   **C⁷**   **F**   **Dm⁷**
We'll meet, I know we'll meet be - yond the shore

     B♭ **C⁷**   **F**   **A⁷** **Dm**
We'll kiss just as before

C⁷   **F**   **Dm⁷**   **B♭** **D⁷/A** **Gm⁷**
Happy we'll be be - yond the sea

     C⁷   **Dm⁷** **Gm⁷** **C⁷sus⁴** **C⁷** **F**   **Dm⁷** **B♭**
And never a - gain I'll go sail   -   ing

   C⁷   **F** **Dm⁷** **B♭** **C⁷**
‖: No more   sail - ing

   F   **Dm**   **B♭**
So long sailing

C⁷ **F** **Dm⁷**   **C⁷**
Bye, bye sailing＿＿ :‖   *Repeat ad lib. to fade*

Born Free

Words by Don Black
Music by John Barry

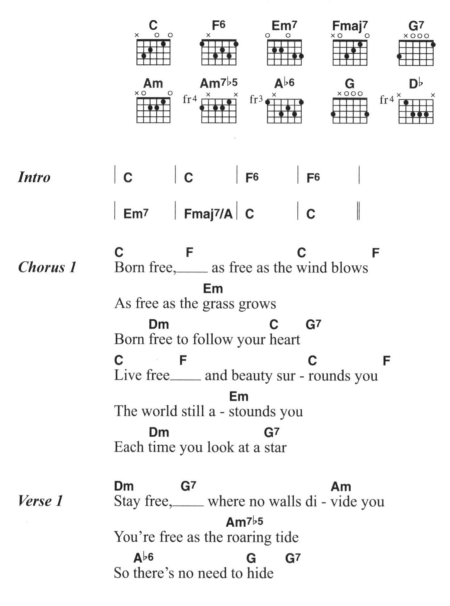

Intro
| C | C | F6 | F6 | |

| Em7 | Fmaj7/A | C | C | ‖ |

Chorus 1

C   F   C   F
Born free,____ as free as the wind blows

         Em
As free as the grass grows

    Dm   C G7
Born free to follow your heart

C   F   C   F
Live free____ and beauty sur - rounds you

        Em
The world still a - stounds you

    Dm   G7
Each time you look at a star

Verse 1

    Dm   G7   Am
Stay free,____ where no walls di - vide you

          Am7♭5
You're free as the roaring tide

   A♭6   G G7
So there's no need to hide

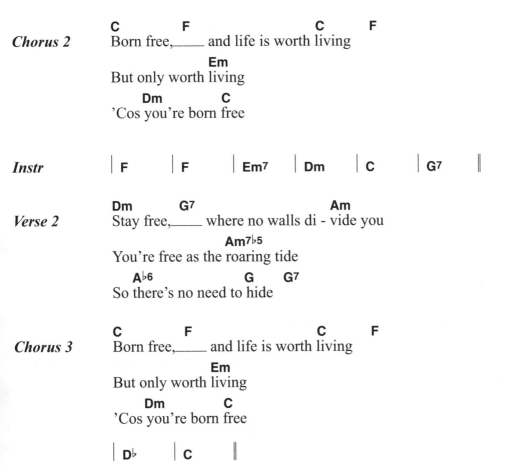

Chorus 2

    C   F   C   F
Born free,____ and life is worth living

                        Em
But only worth living

         Dm   C
'Cos you're born free

Instr | F | F | Em7 | Dm | C | G7   ‖

Verse 2

    Dm   G7   Am
Stay free,____ where no walls di - vide you

                  Am7♭5
You're free as the roaring tide

      A♭6   G   G7
So there's no need to hide

Chorus 3

    C   F   C   F
Born free,____ and life is worth living

                        Em
But only worth living

         Dm   C
'Cos you're born free

      | D♭ | C   ‖

Cold Turkey

Words & Music by John Lennon

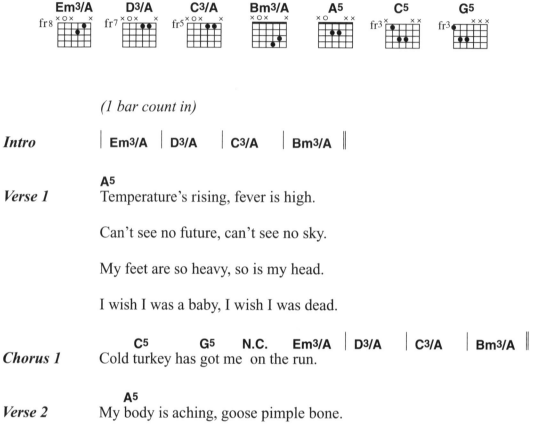

(1 bar count in)

Intro | Em3/A | D3/A | C3/A | Bm3/A ‖

Verse 1
A5
Temperature's rising, fever is high.

Can't see no future, can't see no sky.

My feet are so heavy, so is my head.

I wish I was a baby, I wish I was dead.

Chorus 1
C5   G5   N.C.   Em3/A | D3/A | C3/A | Bm3/A ‖
Cold turkey has got me on the run.

Verse 2
A5
My body is aching, goose pimple bone.

Can't see nobody, leave me alone.

My eyes are wide open, can't get to sleep.

One thing I am sure of, I'm in at the deep freeze.

Chorus 2	As Chorus 1
Guitar solo	‖: **D/A** :‖ *Play 8 times*
Chorus 3	As Chorus 1
Verse 3	**A⁵** Thirty-six hours rolling in pain. Praying to someone free me again. Oh, I'll be a good boy, please make me well. I promise you anything, get me out of this hell.
Chorus 4	As Chorus 1
Outro	‖: **A⁵** | **A⁵** | **A⁵** | **A⁵** :‖ *Repeat ad lib. to fade*

Delta Lady

Words & Music by Leon Russell

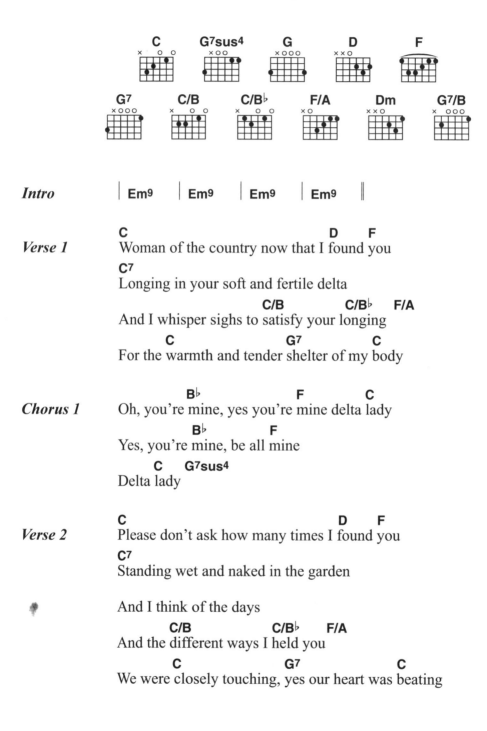

Intro | Em9 | Em9 | Em9 | Em9 ||

Verse 1
C   D   F
Woman of the country now that I found you
C7
Longing in your soft and fertile delta
                                  C/B   C/B♭   F/A
And I whisper sighs to satisfy your longing
                   C   G7   C
For the warmth and tender shelter of my body

Chorus 1
                 B♭   F   C
Oh, you're mine, yes you're mine delta lady
                 B♭   F
Yes, you're mine, be all mine
          C   G7sus4
Delta lady

Verse 2
C   D   F
Please don't ask how many times I found you
C7
Standing wet and naked in the garden

And I think of the days
                     C/B   C/B♭   F/A
And the different ways I held you
                   C   G7   C
We were closely touching, yes our heart was beating

Chorus 2

         B♭   **F**   **C**
Oh, you're mine, yes you're mine delta lady
       B♭   **F**
And, you're mine, be all mine
   C   **G⁷sus⁴**
Delta lady

Bridge

Dm   **G⁷/B**   **Dm**   **B♭**
Oh____ when I'm home a - gain in England
      F
I think of you, love
        C   **G⁷sus⁴ C G**
Because, I love you, love

Verse 2

C   **D** **F**
There are concrete mountains in the ci - ty
   C⁷
And pretty city women live inside them
       C   **C/B**   **C/B♭** **F/A**
Hey, and yet it seems the city scene is lacking
      C   **G⁷**   **C**
I'm so glad you're waiting for me in the country

Chorus 3

         B♭   **F**   **C**
𝄆 Oh, you're mine, yes you're mine delta lady
       B♭   **F**
Said, you're mine, be all mine
   C
Delta lady 𝄇 *Repeat ad lib. to fade*

Do You Believe In Magic?

Words & Music by John Sebastian

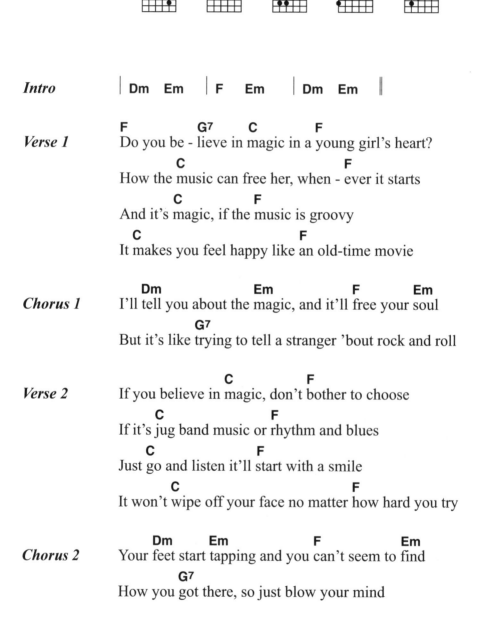

Intro

| Dm Em | F Em | Dm Em ‖

Verse 1

F   G7   C   F
Do you be - lieve in magic in a young girl's heart?
          C   F
How the music can free her, when - ever it starts
          C   F
And it's magic, if the music is groovy
        C   F
It makes you feel happy like an old-time movie

Chorus 1

      Dm   Em   F   Em
I'll tell you about the magic, and it'll free your soul
                  G7
But it's like trying to tell a stranger 'bout rock and roll

Verse 2

                    C   F
If you believe in magic, don't bother to choose
        C   F
If it's jug band music or rhythm and blues
        C   F
Just go and listen it'll start with a smile
         C   F
It won't wipe off your face no matter how hard you try

Chorus 2

      Dm   Em   F   Em
Your feet start tapping and you can't seem to find
            G7
How you got there, so just blow your mind

Instr. | F | F | C | C |

| Dm Em | F Em | G7 |‖

Verse 3
                             C   F
If you believe in magic, come a - long with me
               C   F
We'll dance until morning 'til there's just you and me
              C   F
And maybe, if the music is right
           C   F
I'll meet you tomorrow, sort of late at night

Chorus 3
           Dm   Em   F   Em
And we'll go dancing, baby, then you'll see
               G7
How the magic's in the music and the music's in me
C   F
Yeah, do you believe in magic?
           Dm   Em   F   Em
Yeah, be - lieve in the magic of a young girl's soul
          Dm   Em   F   Em
Be - lieve in the magic of rock and roll
          Dm   Em   F   Em
Be - lieve in the magic that can set you free
G7
Ohh, talking 'bout magic

Outro
        F
‖: Do you believe like I believe?

Do you believe like I believe? :‖ *Repeat ad lib. to fade*

Don't Let Me Be Misunderstood

Words & Music by Bennie Benjamin, Sol Marcus & Gloria Caldwell

Bm   Em   A   G   F#   D

Intro | Bm | Em | Bm | Em ‖

Verse 1

Bm   A
Baby do you under - stand me now?
G   F#
   Sometimes I feel a little mad.
   Bm
But don't you know that no one alive
   A
Can always be an angel,
G   F#
   When things go wrong I seem   to be bad.

Chorus 1

   D   Bm
But I'm just a soul whose in - tentions are good,
G N.C.   G N.C.
   Oh Lord,   please don't let me be misunder -

| Bm | Em | Bm | Em ‖
- stood.

Verse 2

Bm   A
Baby, sometimes I'm so carefree
G   F#
   With a joy that's hard to hide.
   Bm   A
And sometimes it seems that all I have to do is worry,
G   F#
   And then you're bound to see my other side.

Chorus 2
```
               D                      Bm
But I'm just a soul whose in - tentions are good,
     G  N.C.      G  N.C.                    Bm   A
     Oh Lord,     please don't let me be misunder - stood.
```

Bridge
```
     G    A        G         A
     If I seem edgy, I want you to know
     G        A                D       Bm
That I ne - ver mean to take it out on you.
     G        A              G      A
     Life has it's problems, and I get my share
     G                        F♯
And that's one thing I never mean to do
```

'Cos I love you

Verse 3
```
     Bm           A
Oh, oh oh oh baby, don't you know I'm human
     G                     F♯
     I have thoughts like any other one.
Bm                    A
Sometimes I find myself long regretting
     G                      F♯
     Some foolish thing, some little sinful thing I've done.
```

Chorus 4
```
     D                      Bm
I'm just a soul whose in - tentions are good,
     G  N.C.      G  N.C.                    Bm   Em
     Oh Lord,     please don't let me be misunder - stood.
```

Chorus 5
```
          D                      Bm
Yes I'm just a soul whose in - tentions are good,
     G  N.C.      G  N.C.                    Bm   Em
     Oh Lord,     please don't let me be misunder - stood.
```

Repeat choruses to fade

Fire

Words & Music by Jimi Hendrix

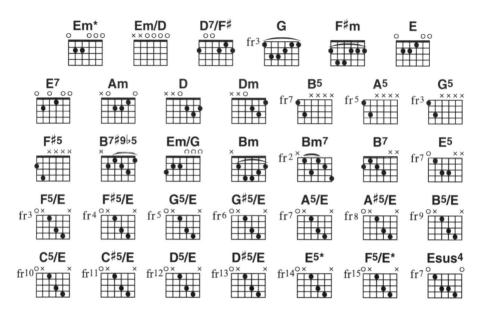

Tune guitar slightly sharp

Intro

    N.C.
I am the God of Hell fire

And I bring you...

Chorus 1

    Em Em/D   Em Em/D Em Em/D Em Em/D
Fire,   I'll take you to burn

    Em Em/D   Em Em/D Em Em/D Em Em/D
Fire,   I'll take you to learn

    Em D7/F♯   Em   G F♯m E
I'll   see you burn!

Verse 1

```
E7              Am                         E
   You fought hard and you saved and earned
     Am        D     E
But all of it's going to burn,
Am
And your mind, your tiny mind
     Dm                  D
You know you've really been so blind
Am
Now's your time, burn your mind
       Dm
You're falling far too far behind
B5 A5 G5 F#5
Oh no!
B5 A5 G5 F#5
Oh no!
B5 A5 G5 F#5
Oh no!
B5 A5 G5        F#5   B7#9b5
         You're gonna burn!
```

Chorus 2

```
Em Em/D        Em    Em/D Em  Em/D Em Em/D
Fire,     to des - troy all you've done
Em Em/D        Em       Em/D    Em  Em/D Em Em/D
Fire,     to end all you've      be - come
Em D7/F#     Em   G  F#m E
I'll  feel you burn.
```

Verse 2

```
E7              Am            Em/G   E
   You've been living like a little girl
      Am             Dm  E
In the middle of your little world
Am               Am/G
And your mind, your tiny mind
     Dm                  D
You know you've really been so blind
Am                  Am/G
Now's your time, to burn your mind
        Dm              D
You're falling far too far behind
Bm     Bm7  G  F#m
Ooooh_____
```

Flowers In The Rain

Words & Music by Roy Wood

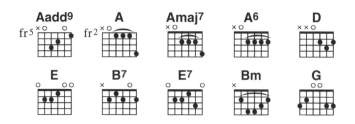

Intro   N.C. *(thunder)...* | Add⁹ | Aadd⁹ ‖

Verse 1

        A   Amaj⁷
Woke up one morning, half asleep

        A⁶   Amaj⁷
With all my blankets in a heap

        A   Amaj⁷   D   E
And yellow roses scattered all a - round.___

        A   Amaj⁷   A   Amaj⁷
The time was still ap - proaching for I couldn't stand it any - more

        A   Amaj⁷   D   E
Saw marigolds up - on my eider - down.___

Chorus 1

        A
I'm just sitting watching flowers in the rain,

                             B⁷   E   B⁷ E⁷
Feel the power of the rain making the gar - den grow

        A
I'm just sitting watching flowers in the rain,

                             B⁷   E   B⁷ E
Feel the power of the rain keeping me cool.

Verse 2

        A   Amaj⁷   A⁶   Amaj⁷
So l lay up - on my side with all the windows open wide

A   Amaj⁷   D   E
Couldn't pressu - rise my head from speak - ing

A   Amaj⁷   A⁶   Amaj⁷
Hoping not to make a sound I pushed my bed in - to the grounds

        A   Amaj⁷   D   E
In time to catch the sight that I was seek - ing.

Chorus 2   As Chorus 1

Link 1 | A ||

Bridge
```
D                              A
If this perfect pleasure has the key
                            Bm
Then this is how it has to be
          A
If  pillow's getting wet
  G          E      A      D
I can't see that it matters much to me.
```

Link 2 | E⁷ ||

Verse 3
```
    A              Amaj⁷
I heard the flowers in the breeze
      A⁶          Amaj⁷
Make conversation with the trees
      A           Amaj⁷     D     E
Re - lieved to leave reality be - hind me.
      A              Amaj⁷        A⁶          Amaj⁷
With my commitments in a mess my sleep has gone a - way depressed
A          Amaj⁷        D   E
In a world of fantasy you'll find me.
```

Chorus 3   As Chorus 1

Outro
```
||: A        | A                                    |
                Watching flowers in the rain,
 | A        | A                               :||
                flowers in the rain.

||: A        :|| Repeat to fade
```

Fresh Garbage

Words & Music by Jay Ferguson

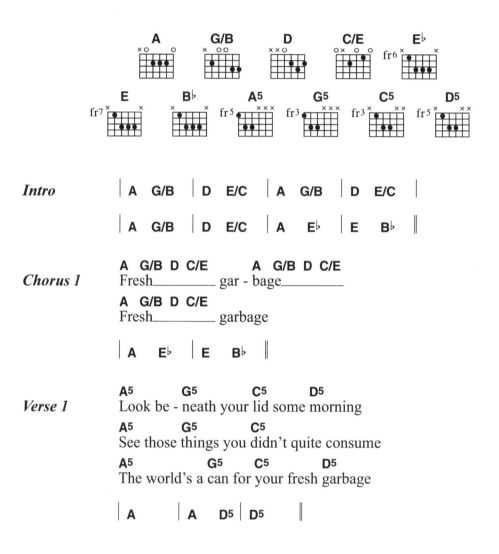

Intro

| A G/B | D E/C | A G/B | D E/C |

| A G/B | D E/C | A E♭ | E B♭ ‖

Chorus 1

A G/B D C/E   A G/B D C/E
Fresh_____ gar - bage_____

A G/B D C/E
Fresh_____ garbage

| A E♭ | E B♭ ‖

Verse 1

A5   G5   C5   D5
Look be - neath your lid some morning

A5   G5   C5
See those things you didn't quite consume

A5   G5   C5   D5
The world's a can for your fresh garbage

| A | A D5 | D5 ‖

Verse 2

A5   G5   C5   D5
Look be - neath your lid some morning

A5   G5   C5   A5 G5
See those things you didn't quite consume

C5
Your fresh garbage

| A | A   D5 | D5 ‖

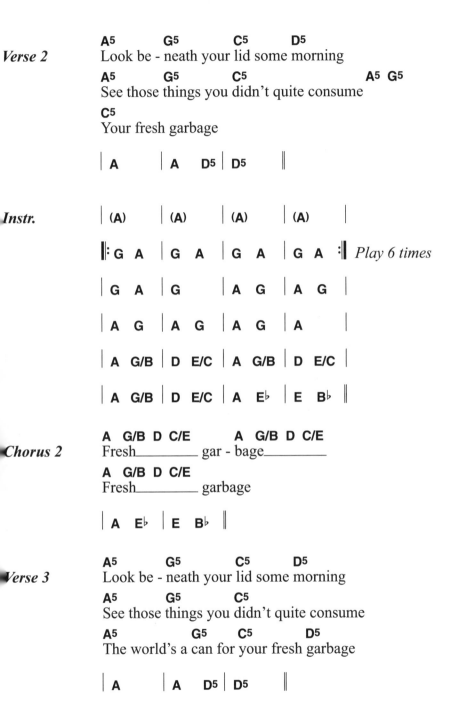

Instr.

| (A) | (A) | (A) | (A) |

‖: G   A | G   A | G   A | G   A :‖ *Play 6 times*

| G   A | G | A   G | A   G |

| A   G | A   G | A   G | A |

| A   G/B | D   E/C | A   G/B | D   E/C |

| A   G/B | D   E/C | A   E♭ | E   B♭ ‖

Chorus 2

A   G/B   D   C/E   A   G/B   D   C/E
Fresh_____ gar - bage_____

A   G/B   D   C/E
Fresh_____ garbage

| A   E♭ | E   B♭ ‖

Verse 3

A5   G5   C5   D5
Look be - neath your lid some morning

A5   G5   C5
See those things you didn't quite consume

A5   G5   C5   D5
The world's a can for your fresh garbage

| A | A   D5 | D5 ‖

The Game Of Love

Words & Music by Clint Ballard Jr.

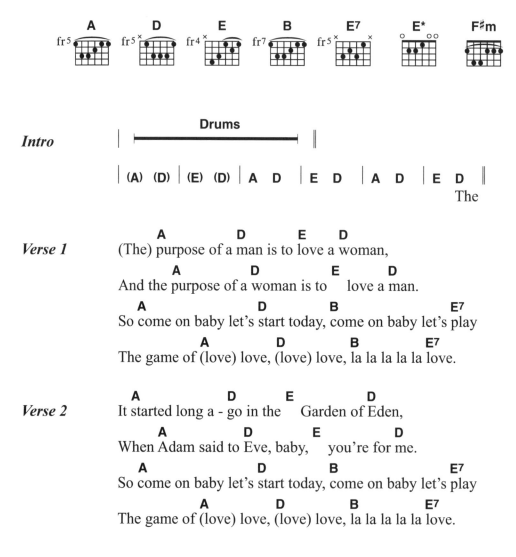

Intro

	Drums

| (A) (D) | (E) (D) | A D | E D | A D | E D |

The

Verse 1

       A   D   E   D
(The) purpose of a man is to love a woman,
       A   D   E   D
And the purpose of a woman is to   love a man.
   A   D   B   E7
So come on baby let's start today, come on baby let's play
           A   D   B   E7
The game of (love) love, (love) love, la la la la la love.

Verse 2

      A   D   E   D
It started long a - go in the   Garden of Eden,
        A   D   E   D
When Adam said to Eve, baby,   you're for me.
     A   D   B   E7
So come on baby let's start today, come on baby let's play
          A   D   B   E7
The game of (love) love, (love) love, la la la la la love.

Bridge 1   E*
Come on baby 'cause the time is right,

Love your daddy with all your might.

Put your arms around me, hold me tight,

Play the game of love.

Verse 3   As Verse 1

Interlude   E*
Yeah, (oh yeah)

Whoa yeah, (oh yeah)

Bridge 2   As Bridge 1

Verse 4   As Verse 1

Outro
| N.C. | A | F♯m | A | F♯m |
The game of love baby,   the game of la la la la love.

‖: (F♯m)   A   F♯m   A   F♯m :‖
The game of love baby,   the game of la la la la love.

Repeat to fade

Break On Through (To The Other Side)

Words & Music by The Doors

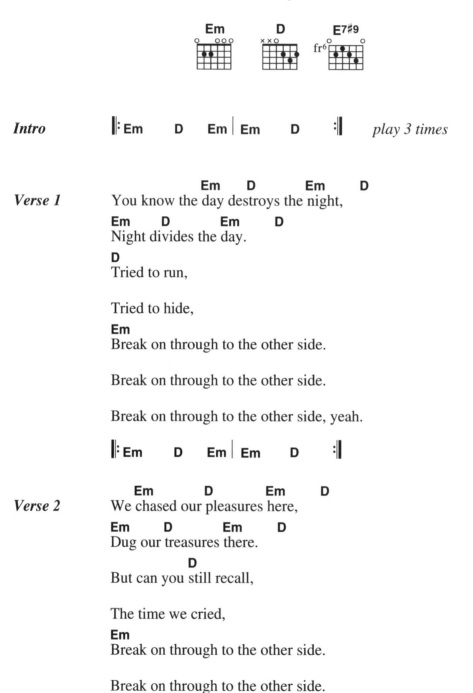

Intro

‖: Em   D   Em | Em   D   :‖   *play 3 times*

Verse 1

             Em   D   Em   D
You know the day destroys the night,
Em   D   Em   D
Night divides the day.
D
Tried to run,

Tried to hide,
Em
Break on through to the other side.

Break on through to the other side.

Break on through to the other side, yeah.

‖: Em   D   Em | Em   D   :‖

Verse 2

         Em   D   Em   D
We chased our pleasures here,
Em   D   Em   D
Dug our treasures there.
              D
But can you still recall,

The time we cried,
Em
Break on through to the other side.

Break on through to the other side.

Link 1　　　| Em　　　　　| Em　　　　　|

‖: Em　　D　　Em | Em　　D　　:‖　　*play 8 times*

Middle

Em　　D Em D Em　　D　Em　　D
　Eve-ry-bo - dy　　loves my baby,

Em　　D Em D Em　　D　Em　　D
　Eve-ry-bo - dy　　loves my baby,

Em　　D　　Em　　D
She get high,

Em　　D　　Em　　D
She get high,

Em　　D　　Em　　D
She get high,

Em　　D　　Em　　D
She get high, yeah.

Link 2　　‖: Em　　D　　Em | Em　　D　　:‖

Verse 3

　　　　Em　　D　　Em　　D
I found an island in your arms,

Em　　D　　Em　　D
Country in your eyes.

D
Arms that chain us,

Eyes that lie.

Em
Break on through to the other side.

Break on through to the other side.

Break on through.

Oh, yeah!

| E7♯9　　| E7♯9　　|

| E7♯9　　| E7♯9　　|

39

Verse 4

E7#9
Made the scene,

Week to week,

Day to day,

Hour to hour.

D
The gate is straight,

Deep and wide.

Em
Break on through to the other side.

Break on through to the other side.

Break on through, break on through,

Break on through, break on through.

Yeah, yeah, yeah, yeah,

Yeah, yeah, yeah, yeah,

Em
Yeah.

Games People Play

Words & Music by Joe South

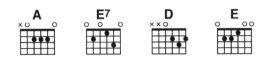

Intro ‖: A | E⁷ | D E | A :‖

                   A
La, la, la-la, la, la
                   E⁷
La, la, la-la, la, da-dee
       D   **E**
La, la, la, la-la
              A
La, la, la-la, la

Verse 1 Oh the games people play now
                  E⁷
Every night and every day now
                     D   **E**
Never meaning what they say now
               A
And never saying what they mean

While they while away the hours
         E⁷
In their ivory towers
                 D
ÔTil they're covered up with flowers
E   **A**
In the back of a black limou - sine

Chorus 1   **A**
La, la, la-la, la, la
      E⁷
La, la, la-la, la, da-dee
         D   **E**
Talking 'bout you and me
           A
And the games people play

Verse 2

Though we make one another cry

E7
Break our hearts when we say goodbye

D   **E**
Cross our hearts and we'll hope to die

A
Said the other was to blame

Neither one will ever give in

E7
Though we gaze at an eight by ten

D   **E**
Thinking 'bout the things that might have been

A
And it's a dirty rotten shame

A

Chorus 2 La, la, la-la, la, la

E7
La, la, la-la, la, da-dee

D   **E**
Talking 'bout you and me

A
And the games people play

Bridge | D | E | D | E |

     | A | E7 | D E | A   ‖

Verse 3 People walking up to you

E7
Singing glory halle - lujah

D **E**
And they're trying to sock it to you

A
In the name of the Lord

Gonna teach you how to meditate

E7
Read your horoscope and cheat your fate

D   **E**
And furthermore to hell with hate

A
Come on get on board

Chorus 3

           A
La, la, la-la, la, la
           E7
La, la, la-la, la, da-dee
           D   E
Talking 'bout you and me
                  A
And the games people play

Verse 4

Look around tell me what you see
                 E7
What's happening to you and me
           D   E
God grant me the serenity
          A
To remember who I am

'Cos you've given up your sanity
              E7
All your pride and your vanity
          D   E
Turn your back on humanity
            A
And you don't give a damn

Chorus 4

           A
‖: La, la, la-la, la, la
           E7
La, la, la-la, la, da-dee
           D   E
Talking 'bout you and me
            A
And the games people play :‖ *Repeat to fade*

Goldfinger

Words by Leslie Bricusse & Anthony Newley
Music by John Barry

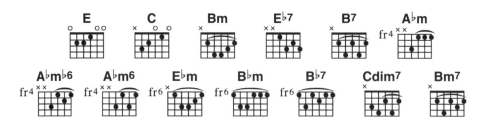

Intro   ‖: E C | E C | E C | E C :‖

Chorus 1

E   C
Gold - finger

Bm   E   A   E♭7
He's the man, the man with the Midas touch

                B7
A spider's touch

          E   C
Such a cold finger

Bm   E   A   E♭7
Beckons you to enter his web of sin

               A♭m A♭m♭6 A♭m6 A♭m♭6
But don't go in

Verse 1

        E♭m   A♭m   B♭7
Golden words he will pour in your ear

        E♭m   B♭m
But his lies can't disguise what you fear

        E♭7   Bm7
For a golden girl knows when he's kissed her

B7   Cdim7
It's the kiss of death

Chorus 2

                    E   **C**
From Mister Gold - finger

Chorus 2

                    E   **C**
From Mister Gold - finger

Bm **E**   **A**   **E♭7**
Pretty girl, be - ware of his heart of gold

                  A♭m A♭m♭6 A♭m6 A♭m♭6
This heart is cold

Verse 2

           E♭m   **A♭m**   **B♭7**
Golden words he will pour in your ear

           E♭m   **B♭m**
But his lies can't disguise what you fear

          E♭7   **Bm7**
For a golden girl knows when he's kissed her

    B7   **Cdim7**
It's the kiss of death

Chorus 3

                    E   **C**
From Mister Gold - finger

Bm **E**   **A**   **E♭7**
Pretty girl, be - ware of his heart of gold

                  A♭m A♭m♭6 A♭m6 A♭m♭6
This heart is cold

   A♭m♭6   **A♭m A♭m♭6 A♭m6**
He loves only gold

A♭m♭6   **A♭m A♭m♭6 A♭m6**
Only___ gold

A♭m♭6   **A♭m A♭m♭6 A♭m6**
He loves gold

   A♭m♭6   **A♭m A♭m♭6 A♭m6**
He loves only gold

A♭m♭6   **A♭m A♭m♭6 A♭m6**
Only___ gold

A♭m♭6   **A♭m**
He loves gold

Get Ready

Words & Music by William 'Smokey' Robinson

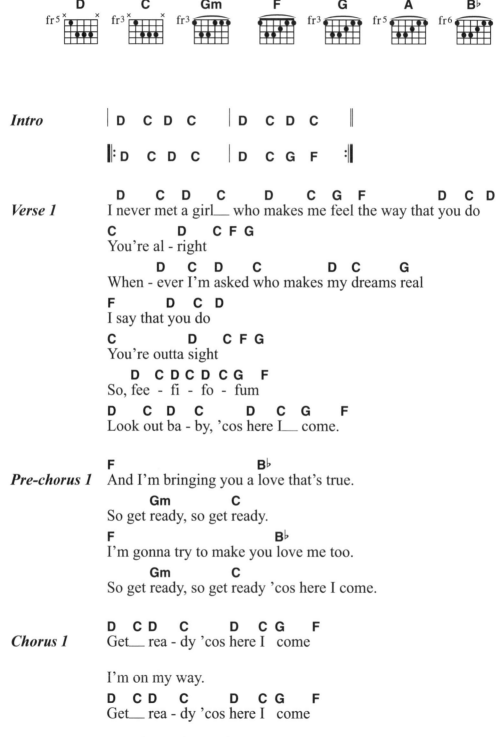

Intro

| D C D C | D C D C ‖

‖: D C D C | D C G F :‖

Verse 1

D   C D   C   D   C G F   D C D
I never met a girl__ who makes me feel the way that you do
C   D   C F G
You're al - right
D   C D   C   D C   G
When - ever I'm asked who makes my dreams real
F   D C D
I say that you do
C   D   C F G
You're outta sight
D C D C D C G F
So, fee - fi - fo - fum
D   C D   C   D   C G   F
Look out ba - by, 'cos here I__ come.

Pre-chorus 1

F   B♭
And I'm bringing you a love that's true.
Gm   C
So get ready, so get ready.
F   B♭
I'm gonna try to make you love me too.
Gm   C
So get ready, so get ready 'cos here I come.

Chorus 1

D C D C   D C G   F
Get__ rea - dy 'cos here I come

I'm on my way.
D C D C   D C G   F
Get__ rea - dy 'cos here I come

Verse 2

      D   C   D   C   D   C   G   F
If you wanna play hide and seek with love

      D   C   D
Let me remind you

C   D   C G F
It's al - right

      D   C   D   C
But the loving you're gonna miss

D C G   F   D C   D
And the time it takes to find you

C   D   C G F
It's outta sight

     D   C   D C D C   G   F
So, fid - dley - dee,__ fid - dley - dum

D   C D C   D C G   F
Look out ba - by, 'cos here I__ come

Pre-chorus 2

F   B♭
And I'm bringing you a love that's true

       Gm   C
So get ready, so get ready

F   B♭
I'm gonna try to make you love me too

       Gm   C
So get ready, so get ready 'cos here I come

Chorus 2

D C D   C   D C G   F
Get__ rea - dy 'cos here I come

I'm on my way.

D C D   C   D C G   F
Get__ rea - dy 'cos here I come

Instr.

| D C D C | D C G F | D C D C | D C G F |
| G   A | G   A | G   A G | B♭ A G |

Verse 3

```
   D C D  C          D   C   G
If all my friends should want you too,
F         D    C   D
I'll under - stand it
C      D    C G F
Be al - right
   D   C D  C          D   C   G
I hope I__ get to you be - fore they do
F         D      C   D
The way I planned it
C        D   C G F
Be outta sight
D C D   C     D  C   G    F
So tid - dley - dee,__ tid - dley - dum
D   C D  C      D   C  G    F
Look out ba - by, 'cos here I__ come.
```

Pre-chorus 3

```
F                           B♭
And I'm bringing you a love that's true.
      Gm           C
So get ready, so get ready.
F                             B♭
I'm gonna try to make you love me too.
      Gm           C
So get ready, so get ready 'cos here I come.
```

Chorus 3

```
  D  C D   C      D   C G    F
∥: Get__ rea - dy 'cos here I come

I'm on my way.
D  C D   C     D   C G    F
Get__ rea - dy 'cos here I come   :∥  Repeat to fade
```

Good Vibrations

Words & Music by Brian Wilson & Mike Love

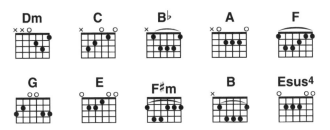

Capo first fret

Verse 1

>   Dm   C
> I, I love the colourful clothes she wears.
>   B♭   A
> And the way the sunlight plays upon her hair.
> Dm   C
> I hear the sound of a gentle word,
>   B♭   A   C
> On the wind that lifts her perfume through the air.

Chorus 1

>   F
> I'm pickin' up good vibrations,
>
> She's giving me excitations.
>
> I'm pickin' up good vibrations,
>
> She's giving me excitations.
>   G
> Good, good, good, good vibrations,
>
> She's giving me excitations.
>   A
> Good, good, good, good vibrations,
>
> She's giving me excitations.

Verse 2

Dm
Close my eyes,

              C
She's somehow closer now.

B♭   **A**
Softly smile, I know she must be kind,

Dm   **C**
When I look in her eyes.

         B♭   **A**   **C**
She goes with me to a blossom world.

Chorus 2   As Chorus 1

Interlude | **A** | **A** | **A** | **A** |
(-tations)

| **A** | **A** |

D
I don't know where but she sends me there,

               A
(My my what a sensation),

(Ah my my what elations),

(Ah my my what).

| **E** | **E** | **F♯m** | **B** |

Middle

E
   Gotta keep those lovin', good

F♯m   **B**
   Vibrations a-happenin' with her.

E
   Gotta keep those lovin', good

F♯m   **B**
   Vibrations a-happenin' with her.

E
Gotta keep those lovin', good

F♯m   **B**
   Vibrations a-happenin'.

| **E** | **E** | **F♯m** | **B** | **E** | **E** |

Esus⁴   **N.C.**
Ahhhhhhhh.

Chorus 3

    A
Good, good, good, good vibrations.

She's giving me excitations
G
Good, good, good, good, vibrations.

| **F** | **F** | |

Outro

    F
Na, na, na, na, na, na, na, na.
G
Na, na, na, na, na, na, na, na.
A
Na, na, na, na, na, na, na, na.
G
Na, na, na, na, na, na, na, na.

‖: **G** | **G** :‖ Repeat to fade

Happy Together

Words & Music by Garry Bonner & Alan Gordon

Tune guitar slightly sharp
Capo second fret

Intro | Em | Em | Em | Em ||

Verse 1
         Em
Imagine me and you, I do,
               D
I think about you day and night

It's only right
                  C
To think about the girl you love

And hold her tight,
         B7
So happy to - gether.

Verse 2
         Em
If I should call you up, invest a dime
             D
And you say you be - long to me

And ease my mind,
         C
Imagine how the world could be

So very fine,
         B7
So happy to - gether.

Chorus 1
E   **D**   **E**   **G**
I can't see me lovin' nobody but you for all my life,
E   **D**   **E**   **G**
When you're with me, baby the skies'll be blue for all my life.

Verse 3

Em
Me and you, and you and me
                         D
No matter how they tossed the dice, it had to be.
                C
The only one for me is you, and you for me
           B7
So happy to - gether.

Chorus 2   As Chorus 1

Verse 4   As Verse 3

Instr. | E | D | E | G |

            | E | D | E | G | G   ‖

Outro

Em
Me and you, and you and me
                         D
No matter how they tossed the dice, it had to be.
                C
The only one for me is you, and you for me
           B7
So happy to - gether
Em
  So happy to - gether,
Em
  And how is the wea - ther?
Em   B7
  So happy to - gether,
Em   B7
  We're happy to - gether
Em   B7
  So happy to - gether,
Em   B7
  So happy to - gether,
Em   B7
  So happy to - gether,
Em   B7
  So happy to - gether,
Em   B7   E
  So happy to - gether.

He Hit Me
(And It Felt Like A Kiss)

Words & Music by Carole King & Gerry Goffin

G	A	D	F#7	Bm	B	C#	F#

Intro | (G) | (G) | (G) | (G) ‖

Chorus 1
        G   A   G
He hit me, and it felt like a kiss
              A   D
He hit me, but it didn't hurt me

Verse 1
               G   A
He couldn't stand to hear me say
         F#7   Bm
That I'd been with someone new
       G   F#7   Bm
And when I told him I had been un - true

Chorus 2
        G   A   G A
He hit me, and it felt like a kiss
        G   A   D
He hit me, and I knew he loved me

Verse 2
        G   A
If he didn't care for me
         F#7   Bm
I could have never made him last

But he hit me
       A   B
And I was glad

Instr. | B | B C♯ | B | B |

| B | B C♯ | F♯ | F♯ ‖

Chorus 3

        G   A   G   A
Yes he hit me, and it felt like a kiss

        G   A   D
He hit me and I knew I loved him

                G   A
And then he took me in his arms

              F♯7   Bm
With all the tenderness there is

                G   A   B
And when he kissed me he made me his

| B | B | B ‖

55

Hello Mary Lou

Words & Music by Gene Pitney & Cayet Mangiaracina

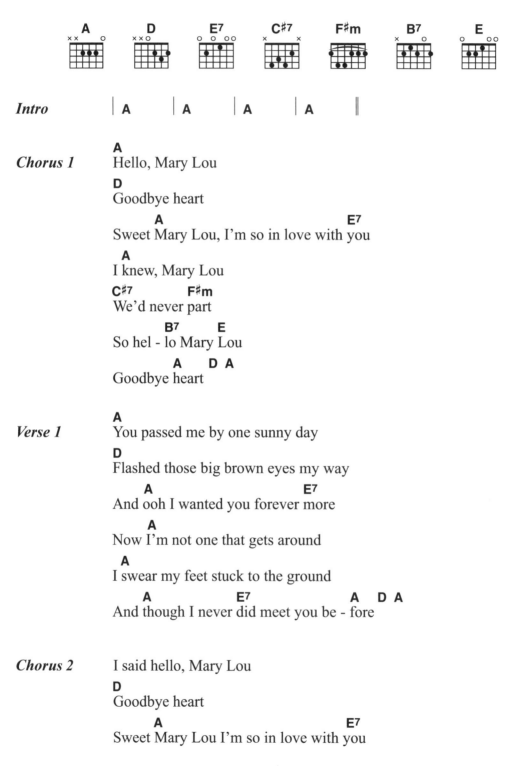

Intro | A | A | A | A ||

Chorus 1

A
Hello, Mary Lou

D
Goodbye heart

A   **E7**
Sweet Mary Lou, I'm so in love with you

A
I knew, Mary Lou

C♯7   **F♯m**
We'd never part

         B7   **E**
So hel - lo Mary Lou

              A   **D A**
Goodbye heart

Verse 1

A
You passed me by one sunny day

D
Flashed those big brown eyes my way

       A   **E7**
And ooh I wanted you forever more

       A
Now I'm not one that gets around

       A
I swear my feet stuck to the ground

       A   **E7**   **A D A**
And though I never did meet you be - fore

Chorus 2

I said hello, Mary Lou

D
Goodbye heart

       A   **E7**
Sweet Mary Lou I'm so in love with you

cont.

A
I knew, Mary Lou
C♯7   **F♯m**
We'd never part
        B7   **E**
So hel - lo Mary Lou
           A   **D A**
Goodbye heart

Instr.

| **A** | **D** | **A** | **E7** | |

| **A** | **C♯7 F♯m** | **B7** **E** | **A** **D A** ‖

Verse 3

A
I saw your lips I heard your voice
     D
Be - lieve me, I just had no choice
     A   **E7**
Wild horses couldn't make me stay a - way
     A
I thought about a moonlit night
     D
My arms around you good and tight
       A   **E7**   **A** **D A**
That's all I had to see for me to stay

Chorus 3

A
Hello, Mary Lou
D
Goodbye heart
     A   **E7**
Sweet Mary Lou I'm so in love with you
     A
I knew, Mary Lou
C♯7   **F♯m**
We'd never part
      B7   **E**
‖: So hel - lo Mary Lou
         A   **D A**
Goodbye heart   :‖
      B7   **E**
Yes hel - lo Mary Lou
        A   **D A D A**
Goodbye heart

Here Comes The Night

Words & Music by Bert Russell & Pierce Turner

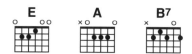

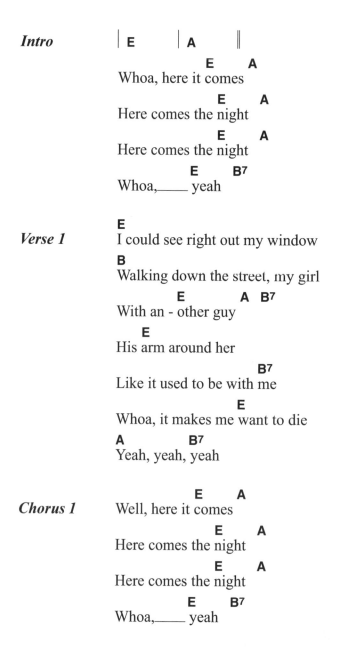

Intro ‖ E | A ‖

                E   A
Whoa, here it comes
             E   A
Here comes the night
             E   A
Here comes the night
         E   B7
Whoa,____ yeah

Verse 1

E
I could see right out my window
B
Walking down the street, my girl
          E   A B7
With an - other guy
     E
His arm around her
              B7
Like it used to be with me
            E
Whoa, it makes me want to die
A   B7
Yeah, yeah, yeah

Chorus 1

           E   A
Well, here it comes
             E   A
Here comes the night
             E   A
Here comes the night
        E   B7
Whoa,____ yeah

Verse 2

E
There they go

                                           B7
It's funny how they look so good together

                        E   A B7
Wonder what is wrong with me?

E   B7
Why can't I, accept the fact she's chosen him

                A
And simply let them be?

A   B7
Whoa____

Chorus 2

                  E   A
Well, here it comes

                      E   A
Here comes the night

                      E   A
Here comes the night

                  E   B7
Whoa,____ yeah

Instr.

| E | A | E | E | |
| B7 | B7 | E | B7 | |

Verse 3

E
She's with him he's turning down the lights

         B7
And now he's holding her

                E   A B7
The way I used to do

E
I could see her closing her eyes

        B7
And telling him lies

                  A
Exactly like she told me too

A   B7
Yeah, yeah, yeah

Chorus 3

                  E   A
Well, here it comes

                      E   A
‖: Here comes the night

                  E   A
Here comes the night____ :‖ *Repeat to fade*

He's So Fine

Words & Music by Ronald Mack

Intro

Am   D
Do-lang, do-lang, do-lang
Am   D
Do-lang, do-lang

Verse 1

       Am D
He's so fine
           Am D
Wish he were mine
               Am   D
That handsome boy over there
                 Am   D
The one with the wavy hair

Chorus 1

                                      G
I don't know how I'm gonna do it

But I'm gonna make him mine

He's the envy of all the girls

It's just a matter of time

Verse 2

                  Am D
He's a soft spoken guy
           Am   D
Also seems kinda shy
               Am   D
Makes me wonder if I
                 Am   D
Should even give him a try

Chorus 2   **G**
But then again he can't shy

He can't shy away forever

And I'm gonna make him mine

If it takes me forever

Bridge   **C**
He's so fine, gotta be mine
G
Sooner or later, I hope it's not later
C
We gotta get together, the sooner the better
 D
I just can't wait, I just can't wait

To be held in his arms

Verse 3   **Am** **D**
If I were a queen
           Am   **D**
And he asked me to leave the throne
       Am   **D**
I'd do any - thing that he asked
        Am   **D**
Anything to make him my own

Chorus 3   **G**   **Em**
‖: For he's so fine, so fine
    G **Em**
So fine, so fine :‖ *Repeat ad lib. to fade*

Hi Ho Silver Lining

Words & Music by Scott English & Lawrence Weiss

D/A   G   C   D   A   D7

Intro | D/A | D/A ‖

Verse 1

D/A
You're everywhere and no where, baby
G
Thats where you're at
C   G
Going down a bumpy hillside
D   A
In your hippy hat
D
Flying out across the country
G
And getting fat
C   G
Saying everything is groovy
D   A
When your tyres are flat

Chorus 1

        D   D7
And its hi-ho silver lining
G   A   G   A
And away you go now ba - by
D   D7
I see your sun is shining
G   A   G
But I wont make a fuss
          D
Though its obvious

Verse 2

Flies are in your pea soup baby

G
They're waving at me

C   **G**
Anything you want is yours now

D   **A**
Only nothing's for free

D
Lies are gonna get you some day

G
Just wait and see

C   **G**
So open up your beach um - brella

D   **A**
While you are watching T.V.

         D   **D7**
Chorus 2 And its hi-ho silver lining

G   **A**   **G**   **A**
And away you go, well ba - by

D   **D7**
I see your sun is shining

G   **A**   **G**
But I wont make a fuss

          D
Though its obvious

Instr. ‖: D | D | G | G |
| C | G | D | A :‖

   G   **A** **D**   **D7**
Chorus 3 ‖: And its hi-ho silver lining

G   **A**   **G**   **A**
And away you go, well ba - by

D   **D7**
I see your sun is shining

G   **A**   **G**
But I wont make a fuss

          D
Though its obvious :‖ *Repeat to fade*

Hole In My Shoe

Words & Music by Dave Mason

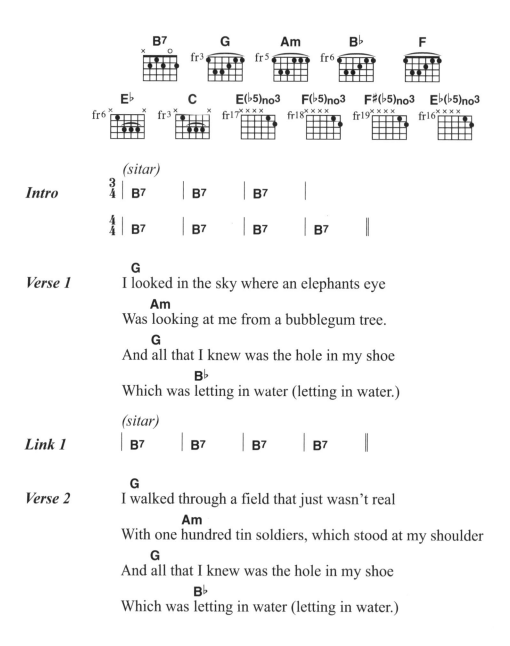

Intro $\frac{3}{4}$ | B7 | B7 | B7 |

(sitar)

$\frac{4}{4}$ | B7 | B7 | B7 | B7 ‖

Verse 1

G
I looked in the sky where an elephants eye

Am
Was looking at me from a bubblegum tree.

G
And all that I knew was the hole in my shoe

B♭
Which was letting in water (letting in water.)

(sitar)

Link 1 | B7 | B7 | B7 | B7 ‖

Verse 2

G
I walked through a field that just wasn't real

Am
With one hundred tin soldiers, which stood at my shoulder

G
And all that I knew was the hole in my shoe

B♭
Which was letting in water (letting in water.)

synth.———————————————————

Link 2 | E(♭5)no3 | F(♭5)no3 | F#(♭5)no3 | F#(♭5)no3 | F

‖

          F   E♭

Bridge
spoken

    I climbed on the back of a giant albatross
        C
Which flew through a crack in the cloud
F
    To a place where happiness reigned
             E♭   C
All the year round, and music played ever so loudly.

synth.———————————————

Link 3 | F#(♭5)no3 | F(♭5)no3 E♭(♭5)no3 ‖

    G

Verse 3 I started to fall, and suddenly woke
        Am
And the dew on the grass had soaked through my coat
      G
And all that I knew was the hole in my shoe
        B♭
Which was letting in water *(letting in water).*

Outro ‖: B7 | B7 | B7 | B7 :‖ *Repeat to fade*

I Am A Rock

Words & Music by Paul Simon

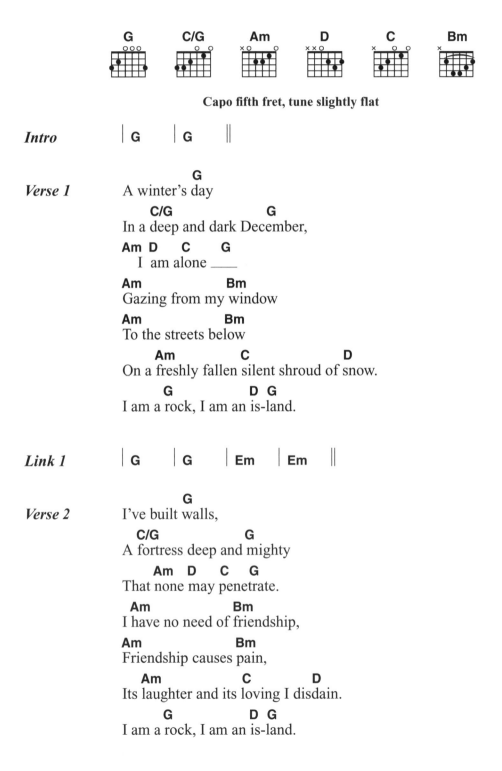

Capo fifth fret, tune slightly flat

Intro | G | G ||

Verse 1
         G
A winter's day
  C/G   **G**
In a deep and dark December,
Am D   **C**   **G**
  I am alone ____
Am   **Bm**
Gazing from my window
Am   **Bm**
To the streets below
    Am   **C**   **D**
On a freshly fallen silent shroud of snow.
      G   **D G**
I am a rock, I am an is-land.

Link 1 | G | G | Em | Em ||

Verse 2
         G
I've built walls,
  C/G   **G**
A fortress deep and mighty
    Am **D**   **C** **G**
That none may penetrate.
  Am   **Bm**
I have no need of friendship,
Am   **Bm**
Friendship causes pain,
    Am   **C**   **D**
Its laughter and its loving I disdain.
      G   **D G**
I am a rock, I am an is-land.

Link 2 | G | G | Em | Em   ‖

                              G
Verse 3   Don't talk of love:
                         C/G   **G**
              Well, I've   heard the word before,
                   Am   D   C   G
              It's sleeping in my memory.
                   Am   **Bm**
              I won't disturb the slumber
                   Am   **Bm**
              Of feelings that have died
                      Am
              If I'd never loved,
                 C   **D**
              I never would have cried.
                     G   **D G**
              I am a rock, I am an is-land.

Link 3 | G | G | Em | Em   ‖

                              G
Verse 4   I have my books
                         C/G   **G**
              And my   poetry to protect me.
                   Am   D   C   G
              I am shielded in my armour,
              Am   **Bm**
              Hiding in my room,
              Am   **Bm**
              Safe within my womb,
                  Am   **C**   **D**
              I touch no-one and no-one touches me.
                     G   **D G**
              I am a rock, I am an is-land.

Link 4 | G | G   ‖

                   Am   D   G
Coda   And a rock feels no pain,
                   Am   D   G
              And an island never cries.

I Can't Explain

Words & Music by Pete Townshend

E   D   A   B   C#m fr4

Intro | E D | A E | E D | A E | E D | A E ‖

Verse 1
        E   D   A   E
Got a feeling inside, (can't explain,)
              D   A   E
It's a certain kind, (can't explain.)
            D   A   E
I feel hot and cold, (can't explain,)
              D   B   E   E D
Yeah, down in my soul, yeah, (can't explain.)
  A   E
I said, can't explain
                D
I'm feelin' good now, yeah,
   A   E
But can't explain.

Verse 2
  E   D   A   E
Dizzy in the head and I'm feelin' blue,
               D   A   E
The things you said, well maybe they're true.
          D   A   E
Gettin' funny dreams again and again,
         D   B
I know what it means but…

Bridge 1
  E
Can't explain,
  C#m   A
I think it's love, try to say it to you,
    B   E   D   A   E
When I feel blue, but I can't explain. (Can't explain.)
               D   A   E
Yeah, hear what I'm sayin' girl. (Can't explain.)

Solo | E D | A E | E D | A E ‖

Verse 3
     E   D   A   E
Dizzy in the head and I'm feelin' bad,
             D   A   E
Things you said have got me real mad.
                 D   A   E
I'm gettin' funny dreams again and again,
             D   B
I know what it means but…

Bridge 2
     E
Can't explain,
   C♯m   A
I think it's love, try to say it to you,
      B   E   D   A   E
When I feel blue, but I can't explain. (Can't explain.)
               D   A   E
Yeah, just hear me one more time now. (Can't explain.)

Solo ‖: E D | A E | E D | A E :‖

     E   D   A   E
(Ooh, ooh.) I said I can't explain, yeah,
       D   A   E
(Ooh, ooh.) You drive me out of my mind.
       D   A   E
(Ooh, ooh.) Yeah, I'm the worryin' kind, yeah,
       D   A   E
(Ooh, ooh.) I said I can't explain.

I Had Too Much To Dream (Last Night)

Words & Music by Annette Tucker & Nancie Mantz

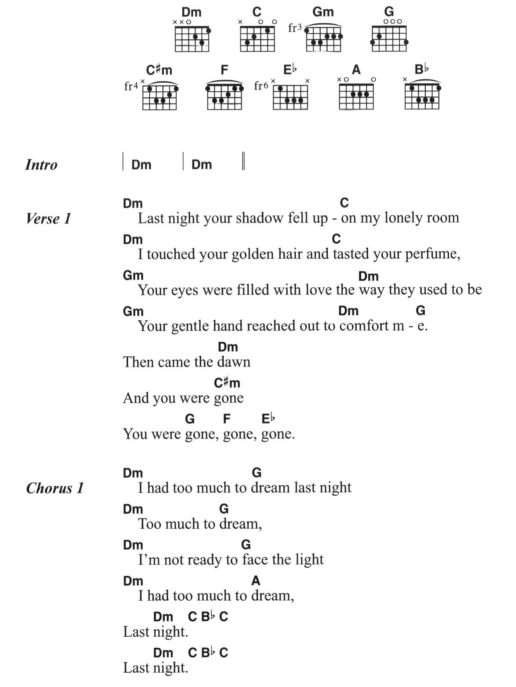

Intro

| Dm | Dm |

Verse 1

Dm   C
Last night your shadow fell up - on my lonely room

Dm   C
I touched your golden hair and tasted your perfume,

Gm   Dm
Your eyes were filled with love the way they used to be

Gm   Dm   G
Your gentle hand reached out to comfort m - e.

                  Dm
Then came the dawn

                  C#m
And you were gone

           G   F   Eb
You were gone, gone, gone.

Chorus 1

Dm   G
I had too much to dream last night

Dm   G
Too much to dream,

Dm   G
I'm not ready to face the light

Dm   A
I had too much to dream,

     Dm   C Bb C
Last night.

     Dm   C Bb C
Last night.

Verse 2

```
Dm                          C
  The room was empty as I staggered from my bed
Dm                          C
  I could not bear the image racing through my head,
Gm                          Dm
  You were so real that I could feel your eagerness
Gm                          Dm        G
And when you raised your lips for me to ki - ss.
                    Dm
Then came the dawn
                C#m
And you were gone
          G    F    Eb
You were gone, gone, gone.
```

Chorus 2   As Chorus 1

Chorus 3   As Chorus 1

Outro

```
                    Dm   C Bb
‖: Oh, too much to dream
        C          Dm   C Bb
Oh, too much to dream
C          Dm              C Bb
Too much to dream last night
        C          Dm   C Bb  C
Oh, too much to dream.          :‖  Repeat to fade
```

I'm Alive

Words & Music by Clint Ballard Jr.

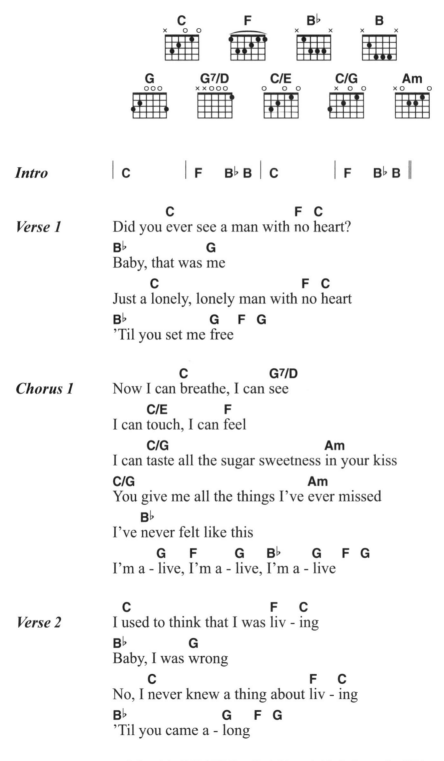

Intro | C | F B♭ B | C | F B♭ B ‖

Verse 1
         C   **F C**
Did you ever see a man with no heart?
B♭   **G**
Baby, that was me
       C   **F C**
Just a lonely, lonely man with no heart
B♭   **G F G**
'Til you set me free

Chorus 1
         C   **G⁷/D**
Now I can breathe, I can see
   C/E   **F**
I can touch, I can feel
   C/G   **Am**
I can taste all the sugar sweetness in your kiss
C/G   **Am**
You give me all the things I've ever missed
    B♭
I've never felt like this
    G F   **G B♭** **G F G**
I'm a - live, I'm a - live, I'm a - live

Verse 2
   C   **F C**
I used to think that I was liv - ing
B♭   **G**
Baby, I was wrong
   C   **F C**
No, I never knew a thing about liv - ing
B♭   **G F G**
'Til you came a - long

Chorus 2

            C   **G7/D**
Now I can breathe, I can see

        C/E   **F**
I can touch, I can feel

        C/G   **Am**
I can taste all the sugar sweetness in your kiss

C/G   **Am**
You give me all the things I've ever missed

      Bb
I've never felt like this

          G   **F**   **G**   **Bb**   **G**   **F** **G**
I'm a - live, I'm a - live, I'm a - live

Instr. | **C** | **F** **C** | **Bb** | **G** |

            | **C** | **F** **C** | **Bb** | **G** **F** | **G** ||

Chorus 3

            C   **G7/D**
Now I can breathe, I can see

        C/E   **F**
I can touch, I can feel

        C/G   **Am**
I can taste all the sugar sweetness in your kiss

C/G   **Am**
You give me all the love I've ever missed

       Bb
I've never felt like this

          G   **F**   **G**   **Bb**   **G**   **Bb** **G**
I'm a - live, I'm a - live, I'm a - live

          Bb **G**
I'm a - live___

          Bb **G**
I'm a - live___

I'm Into Something Good

Words & Music by Carole King & Gerry Goffin

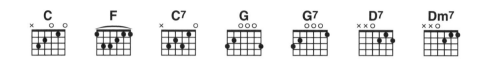

Intro
| C F | C F | C F | C F ‖

Verse 1
    C   F   C   F
Woke up this morning, feeling fine
    C   F   C7
There's something special on my mind
    F   C
Last night I met a new girl in the neighbour - hood, whoa yeah

Chorus 1
    G   F
Something tells me I'm into something good
    C   F   C   F
Something tells me I'm into something

Verse 2
    C   F   C   F
She's the kind of girl who's not too shy
    C   F   C7
And I can tell I'm her kind of guy
    F   C
She danced close to me like I hoped she would

She danced with me like I hoped she would

Chorus 2
    G   F
Something tells me I'm into something good
    C   F   C   F
Something tells me I'm into something

Bridge
    G7
We only danced for a minute or two
                  C   F   C
But then she stuck close to me the whole night through
    G7
Can I be falling in love?

cont.

```
D                               Dm7   G
She's everything I've been dream - ing of
                          D7        G
She's everything I've been dreaming of
```

Verse 3

```
C          F          C      F
I walked her home and she held my hand
C              F      C7
I knew it couldn't be just a one-night stand
     F                                              C
So I asked to see her next week and she told me I could

I asked to see her and she told me I could
```

Chorus 3

```
G                    F
Something tells me I'm into something good
C          F     C      F
Something tells me I'm into something
G7
Aah
```

Instr.

```
| G7      | G7      | C7  F | C7      |

| G7      | G7      | D     | Dm7 G ‖
```

Verse 4

```
C          F          C      F
I walked her home and she held my hand
  C            F      C7
I knew it couldn't be just a one-night stand
     F                                              C
So I asked to see her next week and she told me I could

I asked to see her and she told me I could
```

Chorus 4

```
    G                    F
‖: Something tells me I'm into something good
C          F              F
Something tells me I'm into something :‖
        G                F
‖: Something good, something good, something
C          F     C      F
Something tells me I'm into something :‖  Repeat to fade
```

The 'In' Crowd

Words & Music by Billy Pace

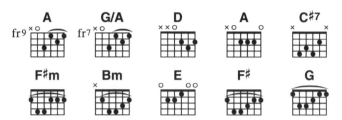

Tune guitar slightly flat

Intro | A | G/A | A | G/A   ‖

Chorus 1
A   G/A
I'm in with the 'In'   crowd,

A   G/A
I go where the 'In'   crowd go,

A   G/A
I'm in with the 'In'   crowd,

A   G/A
And I know what the 'In'   crowd know.

Verse 1
D
Anytime of the year don't you hear?

A
Dressin' fine, makin' time,

C#7
We breeze up and down the street

F#m
We get respect from the people we meet,

Bm
They make way day or night,

E   F# G
They know the 'In' crowd is out of sight.

Chorus 2
A   G/A
I'm in with the 'In'   crowd,

A   G/A
I know every latest dance,

A   G/A
When you're in with the 'In'   crowd

A   G/A
It's easy to find romance.

Verse 2

D
    At a spa, grab a beat it's really hot,

A
    If it's square, we ain't there.

C♯7
    We make every minute count, yeah,

F♯m
    Our share is always the biggest amount.

Bm
    Other guys imitate us,

E   F♯ G
    But the originals still the greatest, yeah!

Link

A (G/A)   A
    We got our own way of walkin'

A (G/A)   A
    We got our own way of talkin' yeah.

Verse 3

D
    Any time of the year don't you hear?

A
    Spendin' cash, talkin' trash.

C♯7
    Girl I'll show you a real good time,

F♯m
    Come home with me and leave your troubles behind,

Bm
    I don't care where you been,

E   F♯ G
    You ain't been nowhere till you've been in,

Outro

              A   G/A
With the 'In' crowd, yeah,

           A
Oh with the 'In' crowd,

G/A   A
    We got our own way of walkin' yeah,

G/A   A
    We got our own way of talkin' ycah,

G/A   A G/A A
    In the 'In' crowd.

Fade out

In The Ghetto

Words & Music by Mac Davis

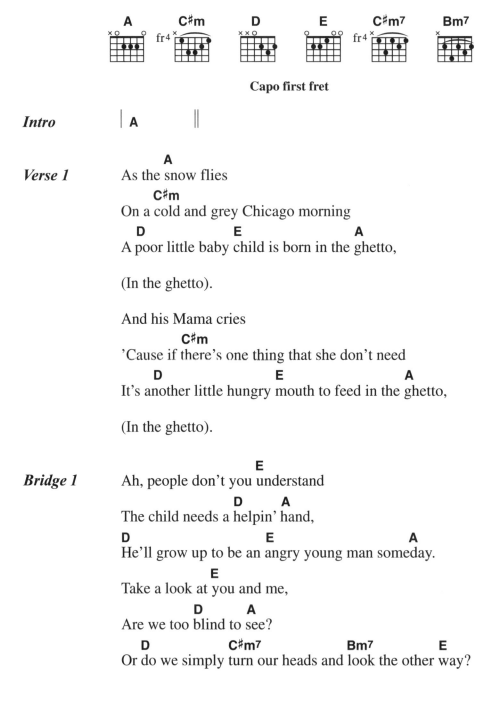

Capo first fret

Intro | A ||

Verse 1
         A
As the snow flies
      C♯m
On a cold and grey Chicago morning
   D   **E**   **A**
A poor little baby child is born in the ghetto,

(In the ghetto).

And his Mama cries
         C♯m
'Cause if there's one thing that she don't need
   D   **E**   **A**
It's another little hungry mouth to feed in the ghetto,

(In the ghetto).

Bridge 1
                E
Ah, people don't you understand
             D   **A**
The child needs a helpin' hand,
D   **E**   **A**
He'll grow up to be an angry young man someday.
           E
Take a look at you and me,
        D   **A**
Are we too blind to see?
   D   **C♯m7**   **Bm7**   **E**
Or do we simply turn our heads and look the other way?

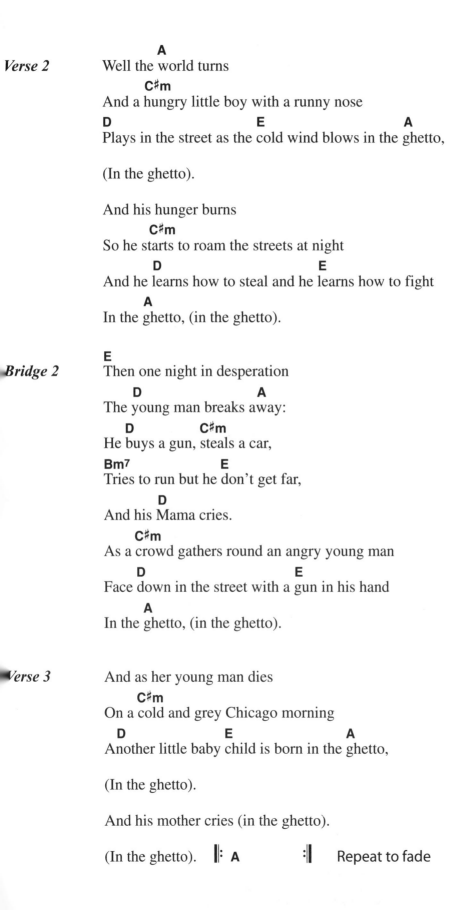

Verse 2

A
Well the world turns

C♯m
And a hungry little boy with a runny nose

D   E   A
Plays in the street as the cold wind blows in the ghetto,

(In the ghetto).

And his hunger burns

C♯m
So he starts to roam the streets at night

D   E
And he learns how to steal and he learns how to fight

A
In the ghetto, (in the ghetto).

Bridge 2

E
Then one night in desperation

D   A
The young man breaks away:

D   C♯m
He buys a gun, steals a car,

Bm⁷   E
Tries to run but he don't get far,

D
And his Mama cries.

C♯m
As a crowd gathers round an angry young man

D   E
Face down in the street with a gun in his hand

A
In the ghetto, (in the ghetto).

Verse 3

And as her young man dies

C♯m
On a cold and grey Chicago morning

D   E   A
Another little baby child is born in the ghetto,

(In the ghetto).

And his mother cries (in the ghetto).

(In the ghetto). ‖: A   :‖ Repeat to fade

79

Israelites

Words & Music by Desmond Dacres & Leslie Kong

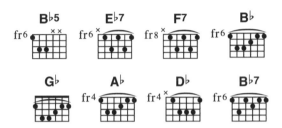

Verse 1

B♭5
Get up in the morning, slaving for bread, sir,

So that every mouth can be fed.

E♭7   F7   B♭   G♭ A♭
Poor— me, Israelite, sir.—

Verse 2

B♭
Get up in the morning, slaving for bread, sir,

So that every mouth can be fed.

E♭7   F7   B♭   D♭
Poor— me, Israelite.

Verse 3

B♭
My wife and my kids, they pack and leave me.

'Darling', she said, 'I was yours to be seen'.

E♭7   F7   B♭   D♭
Poor — me Israelite.

Verse 4

B♭
Shirt them a - tear up, trousers are gone.

I don't want to end up like Bonnie and Clyde.
E♭7 F7   B♭   D♭
Poor— me Israelite.

Verse 5

B♭
After a storm there must be a calm.

They catch me in the farm, you sound your alarm.
E♭7 F7   B♭   D♭
Poor— me Israelite. Ooh.—

Link

| B♭ | D♭ | B♭ | E♭7 |

| B♭ | D♭ | B♭ | F7 ‖
                     (I said I)

Verse 6

           B♭
I said I get up in the morning, slaving for bread, sir,

So that every mouth can be fed.
E♭7 F7   B♭   D♭
Poor— me Israelite, sir.

Verse 7   As Verse 3

Verse 8   As Verse 4

Verse 9

B♭
After a storm there must be a calm.

They catch me in the farm. You sound your alarm.
E♭7 F7   B♭   B♭7
Poor— me Israelite. Eee.—

Outro

‖: E♭7 F7   B♭
   Poor— me Israelite. :‖ *Repeat ad lib.to fade*

81

Johnny Remember Me

Words & Music by Geoffrey Goddard

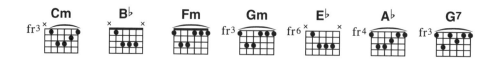

Intro | Cm B♭ | Cm | Cm | Cm | Cm ‖

Verse 1

        Cm
When the mist's a-rising
       B♭
And the rain is falling
        Cm   **Fm** **B♭**   **Cm**
And the wind is blowing cold a - cross the moor
            B♭
I hear the voice of my darling
      Cm   **Fm** **B♭**   **Cm**
The girl I loved and lost a year ago

Chorus 1

         Gm
Johnny, re - member me
   E♭   **B♭**
Well it's hard to believe I know
        E♭   **Fm**
But I hear her singing in the sighing of the wind
B♭   **Cm**   **B♭**   **Cm**
Blowing in the tree tops way a - bove me
       Gm
Johnny re - member me
    A♭ **B♭**   **E♭**
Yes I'll al - ways re - member
      Fm **B♭**
'Til the day I die
    E♭   **Fm**
I'll hear her cry
Cm   **G7**
Johnny, remember me

	Cm	Fm	Cm	Fm	
Instr.	Cm	B♭	Cm	B♭	
	G⁷	G⁷			
	Cm	B♭	Cm	B♭	‖

Verse 2

    Cm
Well some day I guess
    B♭   Cm
I'll find myself an - other little girl
    Fm   B♭   Cm
To take the place of my true love

Chorus 2

        E♭   B♭
But as long as I live I know
          E♭   Fm
I'll hear her singing in the sighing of the wind
B♭   Cm   B♭   Cm
Blowing in the tree tops way a - bove me
        Gm
Johnny, re - member me
       A♭ B♭   E♭
Yes I'll al - ways re - member
        Fm B♭
'Til the day I die
    A♭/C   Fm
I'll hear her cry
    Cm
Oh, Johnny, remember me

Johnny, remember me

Kites

Words by Hal Hackady
Music by Lee Pockriss

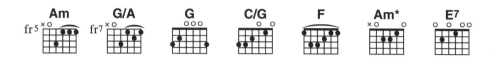

Intro   N.C. | Am | Am | Am | Am | Am   ‖

bass in

Verse 1
Am
I will fly a yellow paper sun in your sky
        G/A
When the wind is   high,
        Am
When the wind is   high.

I will float a silken silver moon near your window
        G/A
If your night is   dark,
        Am
If your night is   dark.

Chorus 1
    G   C/G   G
In letters of gold on a snow white kite
    F   G
    I will write 'I love you'
        Am*   **F**
Then send it soaring high a - bove you
        E7
For all to read.

Link 1   N.C. | Am | Am   ‖

Verse 2

        Am
        I will scatter rice paper stars in your heaven,
                  G/A
If there are no   stars,
              Am
If there are no   stars.

All of these and seven wonders more will I fly,
              G/A
When the wind is   high,
              Am
When the wind is   high.

Chorus 2   As Chorus 1

Link 2   N.C. | Am | Am ‖

Instr.   ‖: Am | Am | Am | Am |
(with spoken
voice) | G/A | G/A | Am | Am :‖

Chorus 3   As Chorus 1

Link 2   N.C. | Am | Am ‖

Instr.   ‖: Am | Am | Am | Am |

          | G/A | G/A | Am | Am :‖ *Repeat to fade*

In The Middle Of Nowhere

Words & Music by Buddy Kaye & Bea Verdi

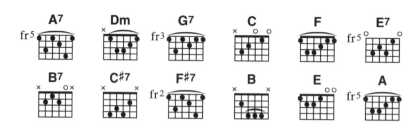

Intro | **A⁷** | **A⁷** | **A⁷** | **A⁷**   ‖

Verse 1

A⁷
Where did our love lie?

Dm
In the middle of nowhere

G⁷
Will it soon pass me by?

C
In the middle of nowhere.

F   **E⁷**
Baby won't you tell me

A⁷   **Dm**
What am I to do?

                    G⁷
I'm in the middle of nowhere

                                C   **B⁷**
Getting nowhere with you.

Verse 2

            A⁷
Mmm,   where did my heart land?

Dm
In the middle of nowhere

G⁷
Where are the dreams I planned?

C
In the middle of nowhere.

cont.

    F   E⁷

Listen to me baby,

    A⁷   Dm

Listen to my plea,

          G⁷

I'm in the middle of nowhere

                  C   C♯7 F♯7

And it's worrying me.

Bridge 1.

    B

Over and over again

    B⁷

You tell me you need my love,

    E

If what you say is true

    E⁷

Why can't we be together?

    A

Over and over you tell me

    A⁷

I'm all that you're thinking of

    B⁷

Baby you know that I love you

    E N.C.

But I can't wait forever!

Verse 3

    A⁷

Where does our love lie?

    Dm

In the middle of nowhere

    G⁷

How can you let it die?

    C

In the middle of nowhere.

    F   E⁷

Are you gonna leave me,

    A⁷   Dm

Leave my heart a - stray?

          G⁷

I'm in the middle of nowhere

               C   C♯7 F♯7

Come and show me the way.

Bridge 2

B
Over and over again

B⁷
You tell me you need my love

Baby you know that I love you,

E N.C.
But I can't wait forever!

Verse 4

A⁷
Where does our love lie?

Dm
In the middle of nowhere

G⁷
How can you let it die?

C
In the middle of nowhere.

F   E⁷
Are you gonna leave me,

   A⁷   Dm
And lead my heart a - stray?

              G⁷
I'm in the middle of nowhere

                         C
Come and show me the way.

Outro

B⁷   A⁷
Hey!   (Where does our love lie?)   *(backing vocals cont. ad lib.)*

Come on now,

Where does our love lie?

Right slap in the middle of nowhere,

Right slap in the middle of nowhere,

Right slap in the middle of nowhere...   *(Fade out)*

Leader Of The Pack

Words & Music by Jeff Barry, Ellie Greenwich & George Morton

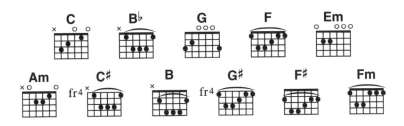

Verse 1

C
Is she really going out with him?

Well, there she is. Let's ask her

Betty, is that Jimmy's ring you're wearing?

Mm-hmm

Gee, it must be great riding with him
                  Bb   **G**
Is he picking you up after school today?

Uh-uh

By the way, where'd you meet him?

Chorus 1

F
I met him at the candy store
  Em
He turned around and smiled at me

You get the picture?

Yes, we see
G   **C**
That's when I fell for the leader of the pack

Verse 2

    C
My folks were always putting him down

                                     B♭
They said he came from the wrong side of town

                                           G
Whatcha mean when you say that he came from the wrong side of tov

Chorus 2

    F
They told me he was bad
Em
But I knew he was sad
G   **C**
That's why I fell for the leader of the pack

Verse 3

    C
One day my dad said, find someone new

                    B♭
I had to tell my Jimmy we're through

                                  G
Whatcha mean when you say that you better go find somebody new?

Chorus 3

    C
He stood there and asked me why
Em
But all I could do was cry
G   **C**
I'm sorry I hurt you, the leader of the pack

Bridge

    Am
He sort of smiled and kissed me goodbye

The tears were beginning to show

As he drove away on that rainy night

I begged him to go slow

But whether he heard, I'll never know

Look out! Look out! Look out! Look out!

| **C♯** | **C♯** ‖

Verse 4

C♯
I felt so helpless, what could I do?
                                                      B   G♯
Remembering all the things we'd been through

Chorus 4

F♯
In school they all stop and stare
Fm
I can't hide the tears, but I don't care
G♯   C♯
I'll never forget him the leader of the pack

Outro

C♯
Ooh
    C♯
‖: The leader of the pack, and now he's gone :‖ *Repeat ad lib. to fade*

91

Let's Hang On

Words & Music by Bob Crewe, Sandy Linzer & Denny Randell

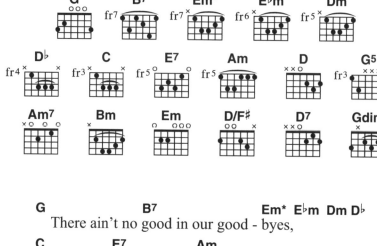

Intro

    G   B7   Em* E♭m Dm D♭
There ain't no good in our good - byes,

    C   E7   Am
True love takes a lot of tryin',

          D
Oh, I'm cryin'...

| G5 | G5 | G5 | G5 ‖

Chorus 1

          G
Let's hang on to what we've got,

                   D
Don't let go girl, we've got a lot,

    Am7 D   Bm   Em
Got a lot of love be - tween us

    Am7   D   G
Hang on, hang on, hang on to what we've got.

Verse 1

    G   D/F♯
You say you're gonna go and call it quits,

       Am7   D7
Gonna chuck it all and break our love to bits,

          Am7   D7
(Breakin' up)   I wish you'd never said it,

          Am7   D7
(Breakin' up)   no, no we'll both regret it.

G   D/F♯
    That little chip of diamond on your hand

cont.

Am7   D7
Ain't a fortune babe, but you know it stands
                  Am7   D7
(For your love)   a love to try and bind us
                Am7   D7
(Such a love)   we just can't leave behind us.

Link 1

G   Gdim
Baby, (don't you go,) baby (oh no, no)
Am7   D
Baby, (think it over and stay.)

Chorus 2   As Chorus 1

Instr.   ‖: G | D/F♯ | Am7 | D   :‖

Verse 2

G   D/F♯
    There isn't anything I wouldn't do
          Am7   D7
I'd pay any price to get in good with you
             Am7   D7
(Patch it up,)   give me a second turn and
             Am7   D7
(Patch it up,)   don't cool off while I'm burnin'.
G   D/F♯
    If I come cryin', dyin' at your door
          Am7   D7
Don't shut me out, open your arms for
             Am7   D7
(Open up)   your arms I need to hold me,
             Am7   D7
(Open up)   your heart oh girl I told you

Link 2

G   Gdim
Baby, (don't you go,) baby *oh no, no*
Am7   D
Baby, (think it over and stay.)

Chorus 3   As Chorus 1

Outro   ‖: G | D/F♯ | Am7 | D   :‖   *Repeat to fade*

Little Red Rooster

Words & Music by Willie Dixon

⑥ = D ③ = G
⑤ = G ② = B
④ = D ① = E

C fr5   B♭ fr3   G   D fr7

Intro | C B♭ ‖ G C B♭ | G C B♭ | G C B♭ | G C B♭ ‖

Verse 1
C
   I am the little red rooster,
                    G   C B♭   G   C B♭
Too lazy to crow for day.
C
   I am the little red rooster,
                    G   C B♭   G   C B♭ G
Too lazy to crow for day.
D
   Keep everything in the farm yard
C   G   C B♭   G   C B♭   G
   Upset in every way.

Verse 2
C
   The dogs begin to bark,
                    G   C B♭   G   C B♭
And hounds begin to howl.
G   C
   Dogs begin to bark and,
                    G   C B♭   G   C B♭   G   C B♭
Hounds begin to howl.
D
   Watch out strange cat people,
C   G   C B♭   G   C B♭
   Little red rooster's on the prowl.

Verse 3

G C
    If you see my little red rooster,
                           G   C B♭   G   C B♭
Please drive him home.

C
    If you see my little red rooster,
                           G   C B♭   G   C B♭   G   C B♭
Please drive him home.

D
    Ain't had no peace in the farm yard

C   B♭
    Since my little red rooster's been gone.

| G C B♭ | G C B♭ |

Outro

(Harmonica solo)

‖: G C B♭ | G C B♭ | G C B♭ | G C B♭ :‖ *Repeat to fade*

Living In The Past

Words & Music by Ian Anderson

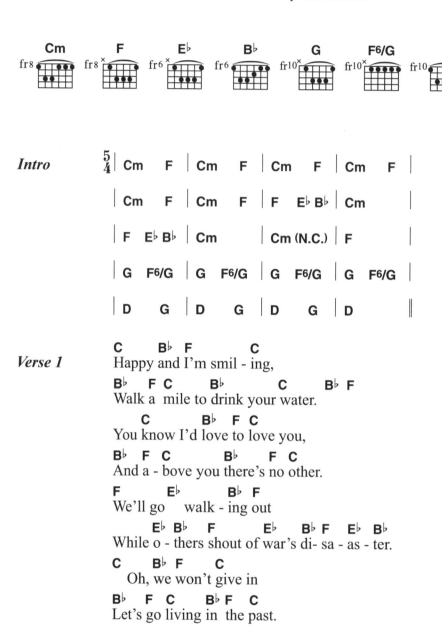

Instr. 1
```
| Cm    F | Cm    F | Cm    F | Cm    F |

| F  E♭ B♭ | Cm        | F  E♭ B♭ | Cm        |

| Cm (N.C.) | F        |

| G   F6/G | G   F6/G | G   F6/G | G   F6/G |

| D    G | D    G | D    G | D       ‖
```

Verse 2

C   B♭ F C
Once I used to join in
B♭ F C   B♭ F C   B♭ F
Eve - ry boy and girl was my friend.
C   F C B♭ F   C
Now there's re - vo - lution, but they don't know
B♭ F   C
What they're fighting
F   E♭   B♭   F
Let us   close   our eyes,
      E♭ B♭ F   E♭ B♭   F E♭ B♭
Out - side their lives go on much fast - er.
C B♭ F   C
Oh, we won't give in
B♭   F   C   B♭ F C
We'll keep living in the past.

Instr. 2
```
| Cm    F | Cm    F | Cm    F | Cm    F |

| F  E♭ B♭ | Cm        | F  E♭ B♭ | Cm        | Cm (N.C.) ‖
```

Verse 3

C B♭ F   C
Oh, we won't give in
B♭   F C   B♭ F C B♭
Let's go living in the past.
F C   B♭ F   C
Oh no, no we won't give in
B♭   F C   B♭ F C B♭ F
Let's go living in the past.

Outro   ‖: Cm   F :‖ *Repeat to fade*

Long Shot (Kick De Bucket)

Words & Music by George Agard, Sydney Crooks & Loren Robinson

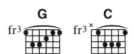

Intro

| G | C | G | C |

| G | C | G | C ‖
(What a)

Verse 1

(C)   G   C   G   C
What a weepin' and wailin' down at Caymanas park.

         G   C   G
What a weepin' and wailin' down at Caymanas park.

C   G   C
Long Shot - him kick de bucket,

         G
Long Shot kick de bucket.

Verse 2

         G   C
Get up, get up in the first race,

          G   C
And them pull up the pace.

         G   C
Get up, get up in the first race,

          G
And them pull up the pace.

         C   G   C
And Long Shot - him kick de bucket,

         G   C
Long Shot kick de bucket.

Versse 3

        G   C
Them wail, them wail, them reel,

                    G   C
But they couldn't take the trail.

        G   C
Them wail, them wail, them reel,

                 G
But they couldn't take the trail.

      C   G   C
And Long Shot - him kick de bucket,

            G   C
Long Shot kick de bucket.

Instr

| G | C | G | C | |

| G | C | G | C ‖

                         (It was)

Versse 4

(C)   G   C   G   C
It was Starbright, Combat, Corazon, Long Shot on the rail.

       G   C   G   C
It was Starbright, Combat, Corazon, Long Shot on the rail.

         G C   G C
Combat fell, Long Shot fell,

               G   C
All we money gone a hell,

               G
All we money gone a hell,

      C   G   C
And Long Shot - him kick de bucket,

            G   C
Long Shot kick de bucket.

            G   C
Long Shot kick de bucket.

            G
Long Shot kick de bucket.   *Fade out*

A Little Bit Me, A Little Bit You

Words & Music by Neil Diamond

| A | D | G | A* fr2 | D/F♯ | A7 |

Capo third fret

Intro   ‖: A D | G D | A D | G D :‖

Verse 1
   A*   G
Walk out,

   A*   G
Girl don't you walk out

   A*   A* G
We've got things to say.

   A*   G A*   G
Talk out,   let's have it talked out

        A*   G   A* G
And things will be o - kay

Chorus 1
   D   G D/F♯
Girl,

    A7   D   G
I don't wanna find

   D/F♯   A7   D   G
   I'm a little bit wrong

   D/F♯   A7   D   G D/F♯
   And you're a little bit right.

   A7   D   G D/F♯
   I say girl

        A7   D   G
You know that it's true

   D/F♯   A7   D   G   D/F♯
   It's a little bit me, (a little bit me)

             A7   D   G D/F♯
And it's a little bit you... too.

Link 1 | A D | G D | A D | G D ‖

Verse 2

A*   G A*   G
Don't know just what I said wrong
   A* G A* G
But girl I a - polo - gize
A*   G A*   G
Don't go, there's where you belong
   A*   G   A* G
So wipe the tears from your eyes.

Chorus 2   As Chorus 1

Instr. | A D | G D | A D | G D ‖

‖: A* G | A* G | A* G | A* G :‖

Chorus 3

   D G D/F♯
Oh girl,
  A7   D G
I don't wanna find
D/F♯ A7   D   G
 I'm a little bit wrong
D/F♯   A7   D G D/F♯
 And you're a little bit right.
A7   D G D/F♯
 I say girl
  A7   D G
You know that it's true
D/F♯ A7   D   G   D/F♯
 It's a little bit me, (a little bit me)
      A7   D G D/F♯
And it's a little bit you... too.

Link 2   ‖ **A   D** | **G   D** | **A   D** | **G   D**   ‖

It's a little bit

           A*   G   A*   G

Outro   me,   it's a little bit

          (Oh____ it's a little bit   me)

          A*   G   A*   G

          you,   Girl I'm

          (Oh____ it's a little bit you)   *(backing vocals cont. ad lib.)*

          A*   G A* G   A*   G A*

          gone,____ no, no, no, no, no!

          G   A*   G A* G   A*   G A* G

          Girl I'm gone,____ no, no, no, no, no!

              A*   G A* G

          Hey girl,

              A*   G A*

          Hey girl,

          G   A*

          Please don't go... *(Fade out)*

Heatwave (Love Is Like A)

Words & Music by Brian Holland, Eddie Holland & Lamont Dozier

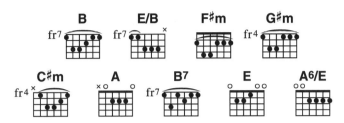

Tune guitar down a semitone

Intro | B E/B B E/B | B E/B B E/B | B E/B B E/B | B | |

‖: F♯m | G♯m | C♯m | C♯m :‖

| E A6/E E A6/E | E A6/E E A6/E | E A6/E E A6/E ‖

Verse 1

    E   F♯m   G♯m
Whenever I'm with him

               C♯m
Something in - side

          F♯m   G♯m
Starts to burning

         C♯m
And I'm filled with desire

F♯m   G♯m
Could it be the devil in me

     A   B7
Or is this the way love's sup - posed to be

Chorus 1

              E   A6/E E A6/E E A6/E
Just like a heat - wave

E   A6/E E   A6/E E A6/E
Burning in my heart

   A6/E   E   A6/E E   A6/E E A6/E
I can't__ keep from cry - ing

E A6/E   E   A6/E E   A6/E E A6/E
It's tearing me a - part

Verse 2

```
E              F♯m              G♯m
Whenever he calls my name
     C♯m
So slow, sweet and plain
   F♯m      G♯m     C♯m
I feel, right there, I feel that burning flame
     F♯m                        G♯m
Has high blood pressure got a hold on me
      A                      B7
Or is this the way love's sup - posed to be?
```

Chorus 2

```
              E     A6/E E A6/E E A6/E
Just like a heat - wave
E          A6/E E    A6/E E A6/E
Burning in my heart
  A6/E    E     A6/E E    A6/E E A6/E
I can't__ keep from crying
E  A6/E    E   A6/E E   A6/E E A6/E
It's tearing me a  -  part
```

Instr.

```
‖: F♯m   | G♯m   | C♯m   | C♯m   :‖

 | F♯m   | G♯m   | A     | B7    ‖
```

Verse 3

```
              F♯m           G♯m
Sometimes I stare in space
       C♯m
Tears all over my face
         F♯m                G♯m
I can't ex - plain it, don't under - stand it
       C♯m
I ain't never felt like this before
       F♯m                  G♯m
Now that funny feeling has me amazed
      A                    B7
Don't know what to do, my head's in a haze
```

Chorus 3

          E   A6/E E A6/E E B7
Just like a heat - wave

                    F#m   G#m
Yeah, yeah, yeah, yeah

C#m
Oh, yeah

   F#m   G#m
Oh yeah, well it's al - right girl

C#m
Oh, yeah

F#m   G#m
Don't pass up this chance

A   B7
It sounds like a true romance

          E   A6/E E A6/E E B7
It's like a heat - wave

Instr.   ‖: F#m | G#m | C#m | C#m   :‖ *Repeat ad lib. to fade*

Man Of The World

Words & Music by Peter Green

D A6 Gm G6 G Bm F#m Em

Intro | D | A6 | Gm | D |

| D | A6 | G6 G | Bm ‖

Verse 1

N.C.   D   A6
Shall I tell you about my life?

      Gm   D
They say I'm a man of the world.

       D   A6
I've flown across every tide,

G6   G   Bm   Gm
  I've seen lots of pretty girls.

| D | D |

Verse 2

            D   A6
I guess I've got everything I need,

Gm   D
  I wouldn't ask for more,

            D   A6
And there's no-one I'd rather be,

G6   G   Bm   Gm
  But I just wish that I'd never been born.

| D | D |

Guitar solo | D | A⁶ | Gm | D |

                 | D | A⁶ | Gm | D   ‖

                                        F♯m
Chorus 2   And I need a good woman
                                                    Em
                 To make me feel like a good man should,
                         F♯m
                 I don't say I'm a good man,
                                        Em   A⁶
                 Oh but I would be if I could.

                              D   A⁶
Verse 3   I could tell you about my life,
                     Gm   D
                 And keep you amused I'm sure
                     D   A⁶
                 A - bout all the times I've cried,
                 G⁶   G   Bm   Gm
                     And how I don't want to be sad anymore.
                              D   N.C.
                 And how I wish I was in love.

Outro | F♯m | Em | F♯m | Em | D   ‖

107

Massachusetts

Words & Music by Barry Gibb, Maurice Gibb & Robin Gibb

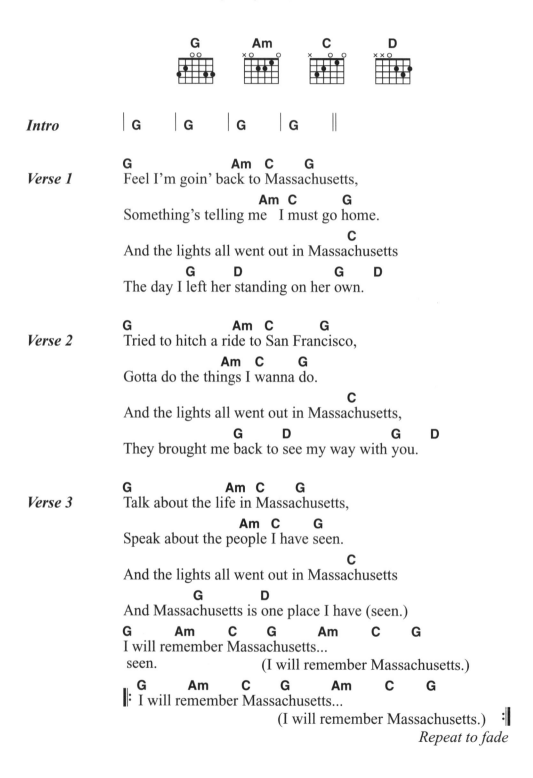

Intro | G | G | G | G ||

Verse 1

G   Am C   G
Feel I'm goin' back to Massachusetts,
                          Am C   G
Something's telling me   I must go home.
                                 C
And the lights all went out in Massachusetts
            G   D   G   D
The day I left her standing on her own.

Verse 2

G   Am C   G
Tried to hitch a ride to San Francisco,
                    Am C   G
Gotta do the things I wanna do.
                                C
And the lights all went out in Massachusetts,
                   G   D   G   D
They brought me back to see my way with you.

Verse 3

G   Am C   G
Talk about the life in Massachusetts,
                    Am C   G
Speak about the people I have seen.
                                C
And the lights all went out in Massachusetts
            G   D
And Massachusetts is one place I have (seen.)
G   Am   C   G   Am   C   G
I will remember Massachusetts...
  seen.   (I will remember Massachusetts.)
     G   Am   C   G   Am   C   G
||: I will remember Massachusetts...
                        (I will remember Massachusetts.) :||

Repeat to fade

Mellow Yellow

Words & Music by Donovan Leitch

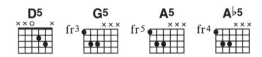

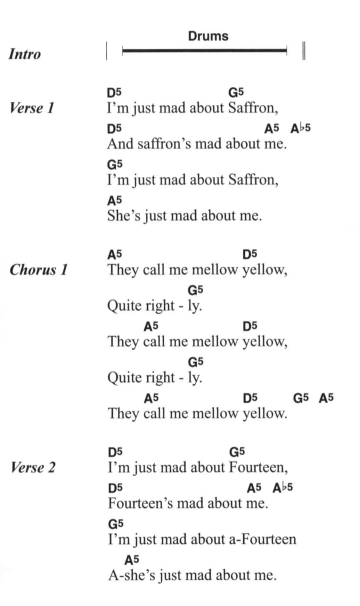

Intro

Drums

Verse 1

D5   G5
I'm just mad about Saffron,

D5   A5 A♭5
And saffron's mad about me.

G5
I'm just mad about Saffron,

A5
She's just mad about me.

Chorus 1

A5   D5
They call me mellow yellow,

                 G5
Quite right - ly.

      A5   D5
They call me mellow yellow,

                 G5
Quite right - ly.

       A5   D5   G5 A5
They call me mellow yellow.

Verse 2

D5   G5
I'm just mad about Fourteen,

D5   A5 A♭5
Fourteen's mad about me.

G5
I'm just mad about a-Fourteen

      A5
A-she's just mad about me.

Chorus 2

A⁵   **D⁵**
They call me mellow yellow,

        A⁵   **D⁵**
They call me mellow yellow,

           G⁵
Quite right - ly.

        A⁵   **D⁵**   **G⁵ A⁵**
They call me mellow yellow.

Verse 3

D⁵   **G⁵**
Wanna high forever to fly,

   D⁵   **A⁵ A♭⁵**
A-wind velocity nil.

G⁵
Wanna high forever to fly,

A⁵
If you want your cup I will fill.

Chorus 3

A⁵   **D⁵**
They call me mellow yellow,

           G⁵
Quite right - ly.

        A⁵   **D⁵**
They call me mellow yellow,

           G⁵
Quite right - ly.

        A⁵   **D⁵**   **G⁵**
They call me mellow yellow.

A⁵
So mellow, he's so yellow.

Instr.

| **D⁵** | **G⁵** | **D⁵** | **A⁵ A♭⁵** |

| **G⁵** | **G⁵** | **A⁵** | **A⁵** |

| **D⁵ G⁵** | **G⁵ A⁵** | **D⁵ G⁵** | **G⁵ A⁵** |

| **D⁵ G⁵** | **G⁵ A⁵** | **A⁵** | ‖ |

Verse 4

D5   G5
Electrical ba - nana

    D5   A5   A♭5
Is gonna be a sudden craze.

G5
Electrical banana

  A5
Is bound to be the very next phase.

Chorus 4

A5   D5
They call it mellow yellow,

         G5
Quite right - ly.

    A5   D5
They call me mellow yellow,

         G5
Quite right - ly.

    A5   D5   G5 A5
They call me mellow yellow.

Verse 5

D5   G5
Saffron,   yeah

D5   A5   A♭5
I'm just mad about her.

G5
I'm a-just a-mad about a-Saffron,

A5
She's just mad about me.

Chorus 5

A5   D5
They call it mellow yellow,

         G5
Quite right - ly.

    A5   D5
They call me mellow yellow,

          G5
Quite right - ly.

    A5   D5   G5 A5
They call me mellow yellow.

A5   D5
Oh so mellow.   *Fade out*

Mighty Quinn

Words & Music by Bob Dylan

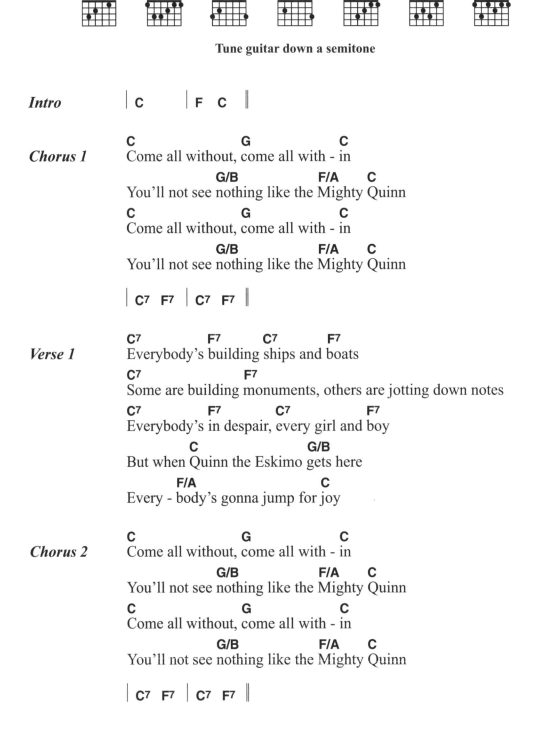

Tune guitar down a semitone

Intro | C | F C ‖

Chorus 1
```
          C                    G              C
Come all without, come all with - in
                     G/B          F/A    C
You'll not see nothing like the Mighty Quinn
          C                    G              C
Come all without, come all with - in
                     G/B          F/A    C
You'll not see nothing like the Mighty Quinn
```

| C⁷ F⁷ | C⁷ F⁷ ‖

Verse 1
```
C⁷              F⁷     C⁷        F⁷
Everybody's building ships and boats
C⁷                 F⁷
Some are building monuments, others are jotting down notes
C⁷              F⁷       C⁷            F⁷
Everybody's in despair, every girl and boy
          C               G/B
But when Quinn the Eskimo gets here
          F/A                  C
Every - body's gonna jump for joy
```

Chorus 2
```
          C                    G              C
Come all without, come all with - in
                     G/B          F/A    C
You'll not see nothing like the Mighty Quinn
          C                    G              C
Come all without, come all with - in
                     G/B          F/A    C
You'll not see nothing like the Mighty Quinn
```

| C⁷ F⁷ | C⁷ F⁷ ‖

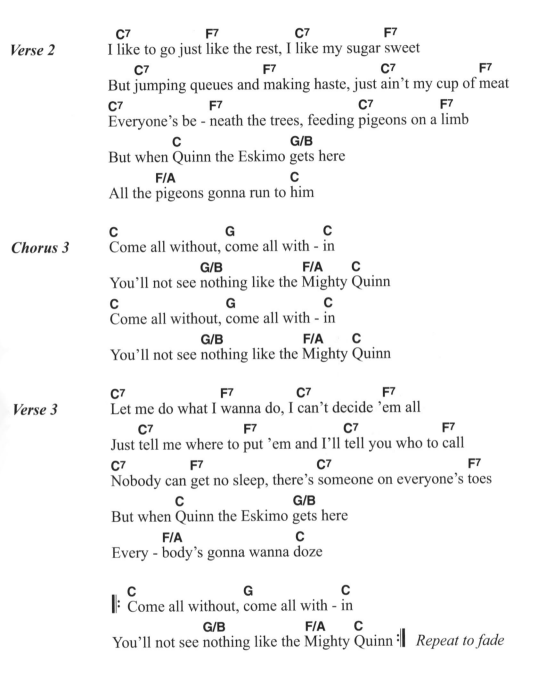

Verse 2

     C7   F7   C7   F7
I like to go just like the rest, I like my sugar sweet

       C7   F7   C7   F7
But jumping queues and making haste, just ain't my cup of meat

 C7   F7   C7   F7
Everyone's be - neath the trees, feeding pigeons on a limb

               C   G/B
But when Quinn the Eskimo gets here

        F/A   C
All the pigeons gonna run to him

Chorus 3

 C   G   C
Come all without, come all with - in

             G/B   F/A   C
You'll not see nothing like the Mighty Quinn

 C   G   C
Come all without, come all with - in

             G/B   F/A   C
You'll not see nothing like the Mighty Quinn

Verse 3

 C7   F7   C7   F7
Let me do what I wanna do, I can't decide 'em all

       C7   F7   C7   F7
Just tell me where to put 'em and I'll tell you who to call

 C7   F7   C7   F7
Nobody can get no sleep, there's someone on everyone's toes

               C   G/B
But when Quinn the Eskimo gets here

        F/A   C
Every - body's gonna wanna doze

    C   G   C
‖: Come all without, come all with - in

             G/B   F/A   C
You'll not see nothing like the Mighty Quinn :‖ *Repeat to fade*

Mr. Tambourine Man

Words & Music by Bob Dylan

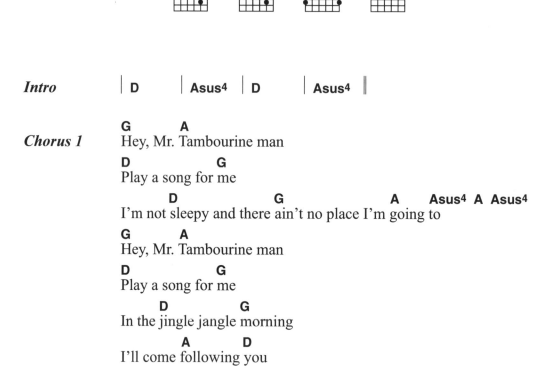

Intro | D | Asus⁴ | D | Asus⁴ ‖

Chorus 1

G   A
Hey, Mr. Tambourine man

D   G
Play a song for me

     D   G   A   Asus⁴ A Asus⁴
I'm not sleepy and there ain't no place I'm going to

G   A
Hey, Mr. Tambourine man

D   G
Play a song for me

     D   G
In the jingle jangle morning

     A   D
I'll come following you

Verse 1

    G   **A**
Take me for a trip

         D   **G**
Upon your magic swirling ship

    D   **G**
All my senses have been stripped

      D   **G**
And my hands can't feel to grip

      D   **G**
And my toes too numb to set

   D   **G**   **A**   **Asus4 A Asus4**
Wait only for my boot heels to be wander - ing

  G   **A**
I'm ready to go anywhere

   D   **G**
I'm ready for to fade

   D   **G**
Un - til my own pa - rade

      D   **G**
Cast your dancing spell my way

      A   **Asus4 A Asus4**
I promise to go under it

   G   **A**
Chorus 2   Hey, Mr. Tambourine man

D   **G**
Play a song for me

   D   **G**   **A**   **Asus4 A Asus4**
I'm not sleepy and there ain't no place I'm going to

G   **A**
Hey, Mr. Tambourine man

D   **G**
Play a song for me

   D   **G**
In the jingle jangle morning

      A
I'll come following you

Outro   ‖: **D** | **Asus4** :‖

Multiplication

Words & Music by Bobby Darin

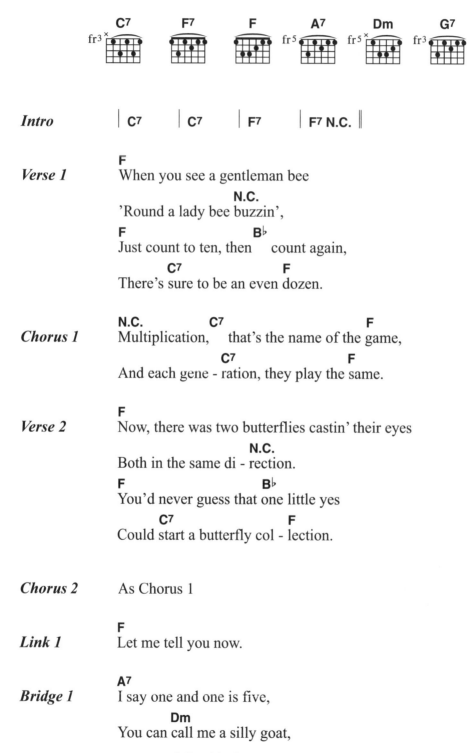

Intro | C7 | C7 | F7 | F7 N.C. ||

Verse 1
F
When you see a gentleman bee
                                N.C.
'Round a lady bee buzzin',
F   Bb
Just count to ten, then   count again,
            C7   F
There's sure to be an even dozen.

Chorus 1
N.C.   C7   F
Multiplication,   that's the name of the game,
                    C7   F
And each gene - ration, they play the same.

Verse 2
F
Now, there was two butterflies castin' their eyes
                            N.C.
Both in the same di - rection.
F   Bb
You'd never guess that one little yes
            C7   F
Could start a butterfly col - lection.

Chorus 2   As Chorus 1

Link 1
F
Let me tell you now.

Bridge 1
A7
I say one and one is five,
            Dm
You can call me a silly goat,

cont.
         G7
But, you take two minks add two winks,

C7 N.C.
Ah, you got one mink coat.

Verse 3
            F
When a girl gets coy in front of a boy

              N.C.
After three or four dances,

   F   **B♭**
Ah, you can just bet she'll play hard to get

    C7   **F**
To multiple her chances.

Chorus 3
As Chorus 1

Link 2
F
Hear me talkin' to you.

Bridge 2
A7
Mother Nature's a clever girl,

       Dm
She re - lies on habit.

   G7   **C7**
You take two hares with no cares,

N.C.
Pretty soon you got a room full of rabbits.

Verse 4
F
Parakeets in between tweets,

            N.C.
Sometimes get too quiet.

       F   **B♭**
Uh-oh, but, have no fear 'cause soon you'll hear

   C7   **F**
A parakeet's riot, just try it.

Chorus 4
As Chorus 1

Chorus 5
N.C.   **C7**   **F**
Yes, multipli - cation, that's the name of the game,

           C7   **F**
And each gene - ration, they play the same.

N.C.
They'd better.

My Old Man's A Dustman

Words & Music by J. P. Long, E. Mayne & A. Le Fre

G   Bm   Em   A   D7   D   C

Intro

      G   Bm Em
Now here's a little story,

    A   D7
To tell it is a must.

     G   Bm   Em
A - bout an unsung hero

    A   D7
That moves away your dust.

     A   D7
Some people make a fortune,

A   D7
Other's earn a mint.

A   D7
My old man don't earn much,

    A   D7
In fact he's flippin' skint.

Chorus 1

     G
Oh, my old man's a dustman,

                D
He wears a dustman's hat.

He wears cor blimey trousers,

                 G
And he lives in a council flat.

He looks a proper narner

                C
In his great big hobnailed boots,

    D (N.C.)
He's got such a job to pull 'em up

              G
That he calls them daisy roots.

	G
Verse 1	Some folks give tips at Christmas
	D
	And some of them for - get,
	So when he picks their bins up,
	G
	He spills some on the steps.
	Now one old man got nasty
	C
	And to the council wrote,
	D (N.C.)
	Next time my old man went 'round there
	He punched him up the throat.

	G
Chorus 2	Oh, my old man's a dustman,
	D
	He wears a dustman's hat,
	He wears cor blimey trousers,
	G
	And he lives in a council flat.

	G
Patter 1	I say, I say Les. (Yeah?)
(spoken)	
	I 'er— I found a police dog in my dustbin.
	(How do you know he's a police dog?)
	He had a policeman with him!

Verse 2

           G
Though my old man's a dustman,

          D
He's got an 'eart of gold.

He got married recently,

       G
Though he's 86 years old.

We said, ''Ere! Hang on Dad

           C
You're getting past your prime'

D
He said, 'Well when you get my age

It helps to pass the time'.

Chorus 3   As Chorus 2

G
Patter 2   I say, I say, I say. (Huh?)
(spoken)

My dustbin's full of lillies.

(Well throw 'em away then)

I can't, Lilly's wearing them!

       G
Verse 3   Now one day whilst in a hurry

         D
He missed a lady's bin,

He hadn't gone but a few yards

       G
When she chased after him.

'What game do you think you're playing?'

       C
She cried right from the heart,

   D   **(N.C.)**
'You've missed me, am I too late?'

'No— jump up on the cart'.

Chorus 4   As Chorus 2

                G
Patter 3   I say, I say, I say (What, you again?)
(spoken)

                My dustbin's absolutely full with toadstools.

                (How do you know it's full?)

                'Cos there's not mush - room inside!

                G
Verse 4   He found a tiger's head one day
                        D
                Nailed to a piece of wood,

                The tiger looked quite miserable,
                     G
                But I suppose he should.

                Just then from out a window
                     C
                A voice began to wail,
                 D   **(N.C.)**
                He said 'Oi! Where's me tiger's head?'

                Four foot from his tail!

Chorus 5   As Chorus 2

                G
Outro   Next time you see a dustman
                     C
                Looking all pale and sad,
                 D   **(N.C.)**
                Don't kick him in the dustbin,
                 D   **G**   **C D G**
                It might be my old dad. ———

Nadine (Is It You?)

Words & Music by Chuck Berry

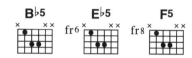

Intro | B♭5 | B♭5 ‖

Verse 1

B♭5
As I got on a city bus and found a vacant seat,

I thought I saw my future bride walking up the street.

I shouted to the driver "hey conductor, you must slow down,

I think I see her please let me off this bus."

Chorus 1

B♭5
Nadine, honey is that you?
　　　E♭5　　　　　　　B♭5
Oh, Na - dine, honey, is that you?
　　　F5　　　　　　　　　　　　　　E♭5　　　　　　　　　　B♭5
Seems like every time I see you darling you got something else to do.

Verse 2

B♭5
I saw her from the corner when she turned and doubled back,

And started walkin' toward a coffee colored cadillac.

I was pushin' through the crowd tryin' to get to where she's at,

And I was campaign shouting like a southern diplomat.

Chorus 2

B♭5
Na - dine, honey is that you?
　　　E♭5　　　　　　　B♭5
Oh, Na - dine, honey, where are you?
　　　F5　　　　　　　　　　　　　E♭5　　　　　　B♭
Seems like every time I catch up with you, you're up to something ne

Verse 3

B♭5
Downtown searching for her, looking all around,

Saw her getting in a yellow cab heading up town.

I caught a loaded taxi, paid up everybody's tab,

Flipped a twenty dollar bill, told him "catch that yellow cab."

Chorus 3

B♭5
Na - dine, honey is that you?
    E♭5   B♭5
Oh, Na - dine, honey, is that you?
      F5   E♭5   B♭5
Seems like every time I catch up with you, you're up to something new.

Verse 4

B♭5
She moves around like a wave of summer breeze,

Go, driver, go, go, catch her for me please.

Moving through the traffic like a mounted cavalier,

Leaning out the taxi window trying to make her hear.

Chorus 4

B♭5
Na - dine, honey is that you?
    E♭5   B♭5
Oh, Na - dine, honey, is that you?
      F5   E♭5   B♭5
Seems like every time I see you darling you're up to something new.

Outro

| B♭5 | B♭5   ‖ *Fade out*

Needles And Pins

Words & Music by Jack Nitzsche & Sonny Bono

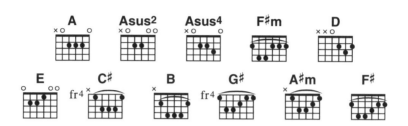

Intro   ‖: A   Asus2 A | Asus4 A Asus2 A :‖

Verse 1

A
I saw her today, I saw her face

    F#m
It was a face I love

       A
And I knew I had to run away

           F#m
And get down on my knees and pray   that they go away

Chorus 1

      A
But still they be - gin

    F#m
Needles and pins

      D
Because of all my pride

     E
The tears I gotta hide

Verse 2

      A
Hey, I thought I was smart I won her heart

    F#m
Didn't think I'd do, but now I see

      A
She's worse to him than me

         F#m
Let her go ahead, take his love in - stead

Chorus 2

                                         A

And one day she will see just how to say please

                  F♯m

And get down on her knees

              D

That's how it be - gins

                        E

She'll feel those needles and pins

Hurtin' her, hurtin' her

Bridge

    C♯   **B**

Why can't I stop and tell myself I'm wrong

I'm wrong, so wrong

A   **G♯**

Why can't I stand up and tell myself I'm strong

Verse 3

                  C♯

Because I saw her to - day, I saw her face

              A♯m

It was a face I love

                    C♯

And I knew I had to run a - way

                        A♯m

And get down on my knees and pray that they go away

Chorus 3

              C♯

But still they be - gin

          A♯m

Needles and pins

                F♯

Because of all my pride

              G♯

The tears I gotta hide

              C♯

Oh! Needles and pins

Needles and pins

Needles and pins

Only The Lonely

Words & Music by Roy Orbison & Joe Melson

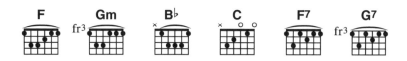

Intro

N.C.   F
Dum dum, dum, dumby do - wah,
               Gm
Ooh yeah, yeah, yeah, yah,
           Bb   C
Oh, oh, oh oh— wah,—
           F   C
Only the lonely,
           F
Only the lonely.

Verse 1

N.C.   F
Only the lonely
                      Gm
Will know the way I feel to - night,
C
Only the lonely
           Bb   F
Will know this feeling ain't right.

Chorus 1

F   N.C.   F
There goes my baby,
N.C.   F7
There goes my heart,
N.C.   Bb
They're gone forever
N.C.   G7   C
So far apart.
N.C.   F
But only the lonely
           Bb   C
Know why,— I cry
           F
Only the lonely.

Bridge 1

F
Dum, dum, dum, dumby do-wah,

            Gm
Ooh yeah, yeah, yeah, yah,

        B♭   C
Oh, oh, oh oh— wah,—

        F   C
Only the lonely,

        F
Only the lonely.

Verse 2

N.C.   F
Only the lonely

                            Gm
Will know the heartaches I've been through,

C
Only the lonely

       B♭   F
Know I cry and cry for you.

Chorus 2

F   N.C.   F
Maybe tomorrow

N.C.   F7
A new romance

N.C.   B♭
No more sorrow,

N.C.   G7 C
But that's the chance

N.C.
You gotta take,

       B♭   C   F
If your lonely heart breaks, only the lonely.

                        N.C.
Dum, dum, dum, dumby do-wah.

Please Please Me

Words & Music by John Lennon & Paul McCartney

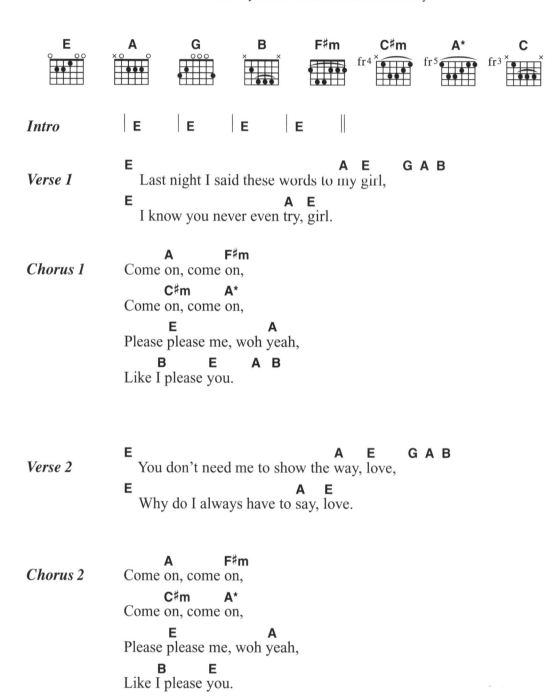

E   A   G   B   F#m   C#m fr4   A* fr5   C fr3

Intro | E | E | E | E ||

Verse 1
```
        E                                    A E    G A B
        Last night I said these words to my girl,
        E                      A  E
        I know you never even try, girl.
```

Chorus 1
```
            A      F#m
        Come on, come on,
            C#m    A*
        Come on, come on,
             E          A
        Please please me, woh yeah,
             B   E      A B
        Like I please you.
```

Verse 2
```
        E                              A  E    G A B
        You don't need me to show the way, love,
        E                      A  E
        Why do I always have to say, love.
```

Chorus 2
```
            A      F#m
        Come on, come on,
            C#m    A*
        Come on, come on,
             E          A
        Please please me, woh yeah,
             B   E
        Like I please you.
```

Bridge

    A
I don't want to sound complaining,
B   **E**
But you know there's always rain in my heart.
    A
I do all the pleasing with you,
B   **E**
It's so hard to reason with you,
      A   **B**   **E**   **A B**
Oh yeah, why do you make me blue?

Verse 3

E   **A E**   **G A B**
   Last night I said these words to my girl,
E   **A E**
   I know you never even try, girl.

Chorus 3

        A   **F♯m**
Come on, come on,
        C♯m   **A***
Come on, come on,
       E   **A**
Please please me, woh yeah,
   B
Like I please you.
E   **A**
Please please me, woh yeah,
(you.)
   B
Like I please you,
E   **A**
Please please me, woh yeah,
(you.)
   B   **E**   **G C B E**
Like I please you. _____

Rainbow Chaser

Words & Music by Patrick Lyons-Campbell & George Spyropoulos

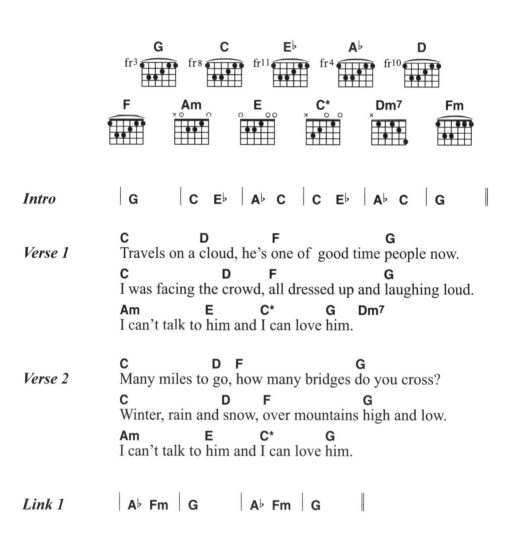

Intro | G | C E♭ | A♭ C | C E♭ | A♭ C | G ||

Verse 1
```
C              D          F            G
```
Travels on a cloud, he's one of good time people now.
```
C              D          F            G
```
I was facing the crowd, all dressed up and laughing loud.
```
Am          E      C*      G    Dm7
```
I can't talk to him and I can love him.

Verse 2
```
C              D   F                G
```
Many miles to go, how many bridges do you cross?
```
C              D      F              G
```
Winter, rain and snow, over mountains high and low.
```
Am          E      C*      G
```
I can't talk to him and I can love him.

Link 1 | A♭ Fm | G | A♭ Fm | G ||

	C E♭ A♭ C
Chorus 1	Rain - - - bow chaser.
	C E♭ A♭ C
	Rain - - - bow chaser.
	C E♭ A♭ C
	Rain - - - bow chaser.

Verse 3   As Verse 1

Verse 4   As Verse 2

Link 2   As Link 1

Outro

    C   E♭ A♭   C
‖: Rain - - - bow chaser.

C   E♭ A♭   C
Rain - - - bow chaser. :‖ *Repeat to fade*

Positively 4th Street

Words & Music by Bob Dylan

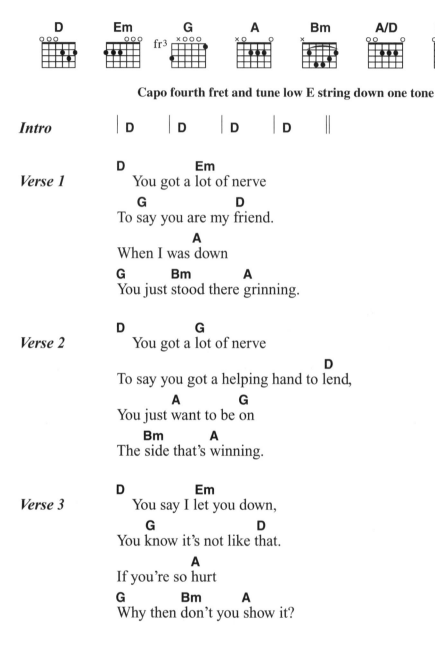

Capo fourth fret and tune low E string down one tone

Intro | D | D | D | D ‖

Verse 1
         D   Em
         You got a lot of nerve
      G   D
To say you are my friend.
                A
When I was down
G   Bm   A
You just stood there grinning.

Verse 2
         D   G
         You got a lot of nerve
                                D
To say you got a helping hand to lend,
            A   G
You just want to be on
      Bm   A
The side that's winning.

Verse 3
         D   Em
         You say I let you down,
      G   D
You know it's not like that.
            A
If you're so hurt
G   Bm   A
Why then don't you show it?

Verse 4

      D   Em
    You say you've lost your faith
        G   D
But that's not where it's at,
               A
You have no faith to lose
G   Bm   A
    And you know it.

Verse 5

      D   Em
    I know the reason
          G   D
That you talk behind my back:
         A   G   Bm
I used to be among the crowd
         A
You're in with.

Verse 6

      D   Em
    Do you take me for such a fool
G   D
    To think I'd make contact
                  A
With the one who tries to hide
         G   Bm   A   A/D
What he don't know to begin with?

Verse 7

      D   Em
    You see me on the street,
G   D
    You always act surprised.
              A   G
You say, "How are you?... Good luck"
    Bm   A   A/D
But you don't mean it.

Verse 8

            D   Em
When you know as well as me
          G   D
You'd rather see me paralyzed.
          A   G   Bm
Why don't you just come out once
       A   A/D
And   scream it?

Verse 9

      D   **Em**
No, I do not feel that good

              G   **D**
When I see the heartbreaks you embrace,

       A   **G**
If I was a master thief

   Bm   **A**   **A/D**
Perhaps I'd rob them.

Verse 10

        D   **Em**
And though I know you're dissatisfied

            G   **D**
With your position and your place,

      A   **G**
Don't you understand

   Bm   **A**   **A/D**
It's not my problem.

Verse 11

     D   **Em**
I wish that for just one time

        G   **D**
You could stand inside my shoes,

        A   **G**
And just for that one moment

Bm   **A**   **A/D**
I could be you.

Verse 12

    D   **Em**
Yes, I wish that for just one time

         G   **D**
You could stand inside my shoes.

        A   **G**   **Bm**
You'd know what a drag it is

    A   **A/D**
To see you.

Coda   ‖: D | Em/D | G/D | D |

               | D   A | G Bm | A | A/D :‖

                                  Repeat and fade

Respect

Words & Music by Otis Redding

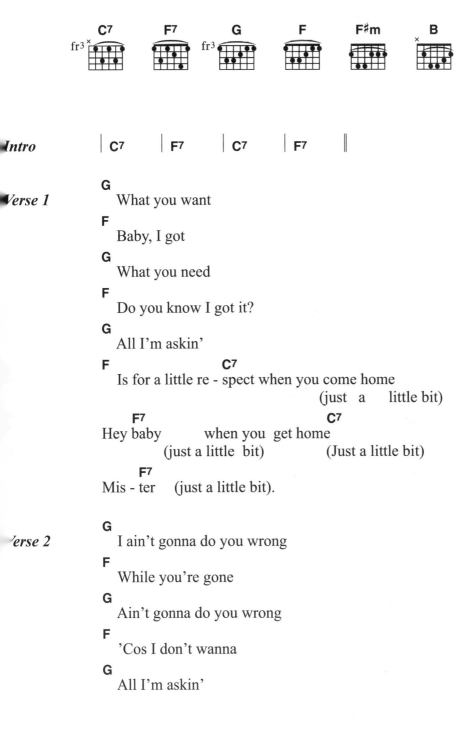

Intro | C⁷ | F⁷ | C⁷ | F⁷ ||

Verse 1

G
What you want

F
Baby, I got

G
What you need

F
Do you know I got it?

G
All I'm askin'

F   **C⁷**
Is for a little re - spect when you come home
                           (just   a   little bit)

     F⁷   **C⁷**
Hey baby   when you get home
       (just a little bit)   (Just a little bit)

     F⁷
Mis - ter   (just a little bit).

Verse 2

G
I ain't gonna do you wrong

F
While you're gone

G
Ain't gonna do you wrong

F
'Cos I don't wanna

G
All I'm askin'

                              F   C⁷
cont.   Is for a little re - spect when you come home
                                                            (just   a   little bit)
                           F⁷   C⁷
                  Ba - by   when you get home
                           (just a little bit)   (just a little bit)
                           F⁷
                  Yeah   (just a little bit).

                  G
Verse 3   I'm about to give you
                  F
                  All of my money
                  G
                  And all I'm askin'
                  F
                  In return, honey
                  G   F
                  Is to give me   my profits
                              C⁷
                  When you get home.   Yeah,
                              (just a, just a, just a, just a)
                           F⁷   C⁷
                  Ba - by,   When you get   home
                  (just a, just a, just a,   just a,   just a little bit)
                           F⁷
                  Yeah   (just a little bit).

Instr. | Em⁹ | Em⁹ | Em⁹ | Em⁹ |

                  | Em⁹ | Em⁹ | Em⁹ | Em⁹   ‖

                  G
Verse 4   Ooo, your kisses
                  F
                  Sweeter than honey
                  G
                  And guess what?
                  F
                  So is my money
                  G   F
                  All I want you to do for me

136

ont.

     C7
Is give it to me when you get home
     (Re,   re, re, re)
  F7   **C7**
Yeah baby, whip it to me, when you get home,
  (re, re, re, re - spect, just a little bit)
   F7
now (just a little bit).

horus

C7 (N.C.)   **C7**
R-E-S-P-E-C-T

F7 (N.C.)   **F7**
Find out what it means to me

C7 (N.C.)   **C7**
R-E-S-P-E-C-T

F7 (N.C.)
 Take care, TCB

utro

C7
Oh!
(Sock it to me, sock it to me, sock it to me,
      F7
A little re - spect,
 sock it to me, sock it to me, sock it to me, sock it to me, sock it to me)

C7
Whoa, babe
   (just a little bit)
     F7
A little re - spect (just a little bit)
 C7
I get tired (just a little bit)
   F7
Keep on tryin' (just a little bit)
   C7
You're runnin' out of foolin'
      (just a little bit)
    F7
And I ain't lyin' (just a little bit)
C7
 'spect,
(Re, re, re, re)
  F7
Come on...
  (Re, re, re,
     C7   **F7**
Or you might walk in, and find out I'm gone
re - spect, just a little bit)   *(Fade out)*

Runaway

Words & Music by Del Shannon & Max Crook

| Am | G | F | E7 | A | F#m | D |

Intro | Am | Am | Am | Am   ‖

Verse 1
                       G
As I walk along I wonder what went wrong
          F   E7
With our love, a love that was so strong
Am   G
And as I still walk on, I think of the things we've done
         F   E7
To - gether, while our hearts were young

Pre-chorus 1
A
I'm a-walkin' in the rain
F#m
Tears are falling and I feel the pain
A
Wishing you were here by me
F#m
To end this misery

Chorus 1
          A
And I wonder
              F#m
I wa-wa-wa-wa-wonder
A   F#m
Why, why-why-why-why-why   she ran away
        D   E7
And I wonder where she will stay
        A   D   A   E7
My little runaway, run-run-run-run-runaway

Instr.	‖: Am	Am	G	G	
	F	F	E⁷	E⁷	:‖

Pre-chorus 2

A
I'm a-walkin' in the rain

F♯m
Tears are falling and I feel the pain

A
Wishing you were here by me

F♯m
To end this misery

Chorus 2

       A
And I wonder

           F♯m
I wa-wa-wa-wa-wonder

A   **F♯m**
Why, why-why-why-why-why   she ran away

       D   **E⁷**
And I wonder where she will stay

        A   **D**   **A**
My little runaway, run-run-run-run-runaway

D   **A**
Run-run-run-run-runaway

139

Shakin' All Over

Words & Music by Johnny Kidd

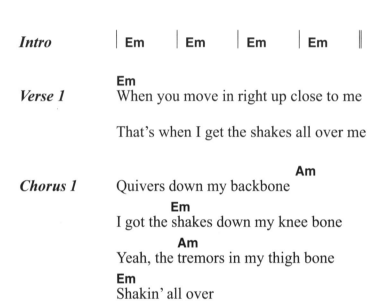

Intro | Em | Em | Em | Em ‖

Verse 1
Em
When you move in right up close to me

That's when I get the shakes all over me

Chorus 1
          Am
Quivers down my backbone
     Em
I got the shakes down my knee bone
    Am
Yeah, the tremors in my thigh bone
Em
Shakin' all over

| Em | Em | Em | Em ‖

Verse 2
Em
Just the way that you say goodnight to me

Brings that feelin' on inside of me

	Am
Chorus 2	Quivers down my backbone

        Em
I got the shakes down my thigh bone

        Am
Yeah, the tremors in my back bone

Em
Shakin' all over

Instr.

Em	Em	Em	Em	
Am	Am	Em	Em	
B7	Am	Em	Em	Em

                                      Am
Chorus 3   Quivers down the backbone

        Em
Yeah, the shakes in the knee bone

        Am
I got the tremors in the thigh bone

Em
Shakin' all over

Em	Em	

Em
Outro   Well, you make me shake and I like it, baby

Well, make me shake and I like it, baby

Well, shake, shake, shake

She's About A Mover

Words & Music by Douglas Sahm

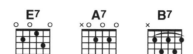

Intro   ‖: E7 | E7 | E7 | E7   :‖ *Play 4 times*

Verse 1
                E7
Well she was walkin' down the street

Lookin' fine as she could be

Hey, hey,
              A7
Well she was walkin' down the street
                     E7
Lookin' fine as she could be,

Hey, hey.
              B7
If you have love and conversation,
A7 N.C.   E7
    Woah, yeah! What I say, hey, hey!

Chorus 1   She's about a mover,

She's about a mover,

She's about a mover,
                           A7
She's about a mover, hey, hey-hey-hey,

What I say.

cont.
          E7
She's about a mover,

She's about a mover,
      B7
Well you know I love you baby,
A7 N.C.   **E7**
    Woah yeah, what I say, hey, hey!

Link   ‖: E7 | E7 | E7 | E7 :‖

Verse 2
      E7
Well she strolled on up to me and said

"Hey big boy, what's your name?"

Hey, hey,
      A7
Well she strolled on up to me and said
            E7
"Hey big boy, what's your name?"

Hey, hey.
      B7
Well you know I love you baby
A7 N.C.   **E7**
    Woah, yeah! What I say, hey, hey!

Chorus 2
She's about a mover,

She's about a mover,

She's about a mover,

She's about a mover,
        (A7)
Hey, hey-hey-hey.

(Fade out)

143

Shout

Words & Music by O'Kelly Isley, Ronald Isley & Rudolph Isley

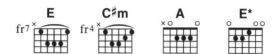

Intro
N.C.
Well...

Chorus 1
                                       E
You know you make me wanna shout,

Look my hand's jumpin'
C#m
(Shout) look my heart's bumpin'
E
(Shout) throw my head back,
C#m
(Shout) ah, come on now,
E
(Shout)   C#m
  Don't forget to say you will, (shout)
         E   C#m
Yeah, don't forget to shout, yeah, yeah, yeah, yeah, yeah.
E   C#m   E
  Say you will, throw your head back baby,
              C#m
(Say you will), ah come on, ah come on
E   C#m   E
  (Say you will), throw your head back ooh,
              C#m
(Say you will), come on now,
E
Say that you love me,
C#m
(Say) say that you'll need me,
E
(Say) say that you want me
C#m
(Say) ain't gonna grieve me

cont.

```
            E
(Say) ah, come on now,
C#m
(Say) ah, come on now,
E
(Say) ah, come on now,
C#m
(Say).
```

Verse 1

```
N.C.        E                                C#m
I still re - member when you used to be nine years old, yeah yeah,
            E                               C#m
I was in love with you from the bottom of my soul, yeah, yeah.
              E                 C#m
Now that's he's old enough, enough to know,
              E                 C#m
You wanna need   me, ya wanna love me so.
```

Bridge

```
N.C.            E
I want you to know,
```

I said I want you to know right now,

You been good to me baby

Better than I've been good to myself, yeah, yeah.

And if you ever leave me, I don't want nobody else, yeah, yeah,

Because I want you to know,

No, I said I want you to know right now.

Chorus 2

```
N.C.                        E
You know you make me wanna shout, wooo
C#m
Shout, wooo,
E
Shout, wooo,
C#m
Shout, wooo!
E            C#m          E
(Shout) Alright, (shout)  alright, (shout)  alright,
C#m              E                 C#m
(Shout) Take it easy, (shout) take it easy, (shout) take it easy.
E            C#m          E            C#m
(Shout) Alright, (shout) alright, (shout) alright, (shout!)
```

Outro

        N.C. E   C♯m
Hey,___ (hey,___)

                     E   C♯m
Hey-hey-hey-hey, (hey,___)

                     E   C♯m
Hey-hey-hey-hey, (hey,___)

                     E
Hey-hey-hey-yey, (hey-hey-hey...)

                               C♯m
Shout now, jump up and shout now,

          E
Everybody shout now,

          C♯m
Everybody shout now,

             E   **C♯m**
Everybody shout, shout, shout, shout, shout, shout,

     E   **C♯m**
Ah shout, shout, shout, shout, shout, shout,

E   **C♯m**
Oh, shout, shout, shout, shout, shout,

E   **C♯m**
Shout, shout, shout, shout, shout, shout.

        E
Ah, shout!

N.C.   **A**   **E***
Well I feel al - right!

Something's Gotten Hold Of My Heart

Words & Music by Roger Cook & Roger Greenaway

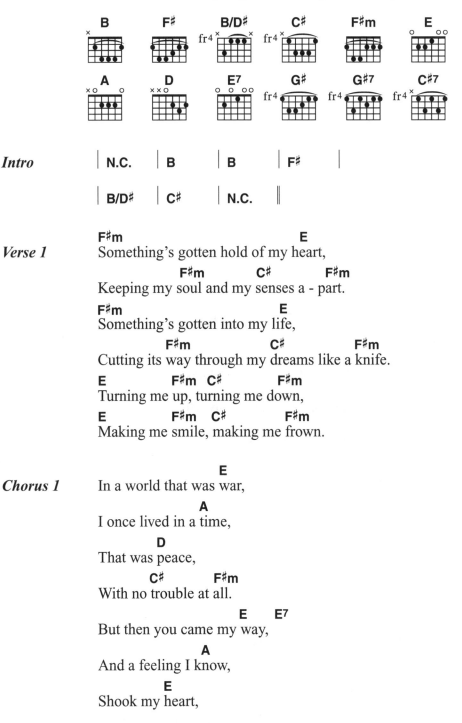

Intro

| N.C. | B | B | F♯ |
| B/D♯ | C♯ | N.C. |

Verse 1

F♯m   E
Something's gotten hold of my heart,
          F♯m   C♯   F♯m
Keeping my soul and my senses a - part.
F♯m   E
Something's gotten into my life,
          F♯m   C♯   F♯m
Cutting its way through my dreams like a knife.
E   F♯m C♯   F♯m
Turning me up, turning me down,
E   F♯m C♯   F♯m
Making me smile, making me frown.

Chorus 1

                E
In a world that was war,
         A
I once lived in a time,
       D
That was peace,
       C♯   F♯m
With no trouble at all.
              E   E7
But then you came my way,
         A
And a feeling I know,
       E
Shook my heart,

cont.

        B   **E**
And made me want you to stay.

B   **E**
All of my nights

      B   **D**   **C♯**
And all of my days.——

Verse 2

I wanna tell you now
F♯m   **E**
Something gotta hold of my hand,

            F♯m   **C♯**   **F♯m**
Dragging my soul to a beautiful land.

                               E
Yeah,—— something has invaded my night,

          F♯m   **C♯**   **F♯m**
Painting my sleep with a colour so bright.

E   **F♯m C♯**   **F♯m**
Changing the grey, changing the blue,

E   **F♯m C♯**   **F♯m**   **N.C.**
Scarlet for me, scarlet for you.

Link | **B** | **B** | **F♯** | **B/D♯** | **G♯** | **G♯** ‖

                                                           (I've)

Bridge

         N.C.   **G♯**
I've got to know if this is the real thing,

         N.C.   **C♯**
I've got to know what's making my heart sing, oh yeah.

A smile and I am lost for a lifetime,

Each minute spent with you is the right time.

Every hour yeah, every day yeah,——
     C♯7
You touch me and my mind goes astray, yeah.——

And baby yeah, and baby yeah.

Verse 3

F♯m   **E**
Something's gotten hold of my hand,

            F♯m   **C♯**   **F♯m**
Dragging my soul to a beautiful land.

                            E
Yeah, something's gotten into my life,

cont.

        F♯m   C♯   F♯m
Cutting its way through my dreams like a knife.

E   F♯m C♯   F♯m
Turning me up, turning me down,

E   F♯m C♯   F♯m
Making me smile, making me frown.

Chorus 2

                       E
In a world that was war,

                A
I once lived in a time

               D
That was peace

           C♯m   F♯m
With no trouble at all.

              N.C. F♯m   N.C. F♯m   N.C. F♯m
But then you,   you,   you,

N.C.   E   E7
You came my way,

                A
And a feeling I know

             E
Shook my heart,

                B   E
And made me want you to stay.

B   E
All of my nights,

B   D   C♯
And all of my days.—

Verse 4

I wanna tell you now,

F♯m   E
Something's gotten hold of my heart,

           F♯m   C♯   F♯m
Keeping my soul and my senses a - part.

                            E
Yeah,— something has invaded my night,

           F♯m   C♯   F♯m
Painting my sleep with a colour so bright.

E   F♯m   C♯   F♯m
Changing the grey,— changing the blue,—

E   F♯m C♯   F♯
Scarlet for me, scarlet for you.

Soul Man

Words & Music by Isaac Hayes & David Porter

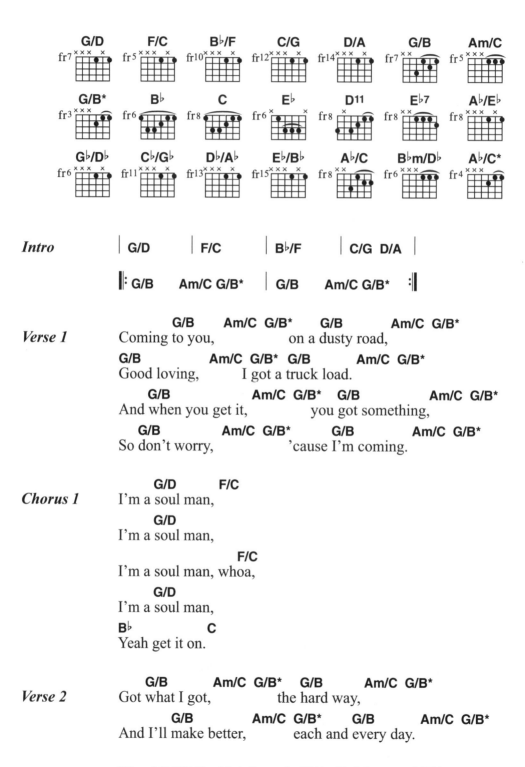

Intro | G/D | F/C | B♭/F | C/G D/A |

‖: G/B   Am/C G/B* | G/B   Am/C G/B* :‖

Verse 1

       G/B   Am/C G/B*   G/B   Am/C G/B*
Coming to you,   on a dusty road,

G/B   Am/C G/B* G/B   Am/C G/B*
Good loving,   I got a truck load.

     G/B   Am/C G/B*   G/B   Am/C G/B*
And when you get it,   you got something,

     G/B   Am/C G/B*   G/B   Am/C G/B*
So don't worry,   'cause I'm coming.

Chorus 1

       G/D   F/C
I'm a soul man,

       G/D
I'm a soul man,

             F/C
I'm a soul man, whoa,

       G/D
I'm a soul man,

B♭   C
Yeah get it on.

Verse 2

      G/B   Am/C G/B*   G/B   Am/C G/B*
Got what I got,   the hard way,

       G/B   Am/C G/B*   G/B   Am/C G/B*
And I'll make better,   each and every day.

	G/B	Am/C G/B*		G/B	Am/C G/B*
cont.	So honey,		now don't you fret now,		

	G/B	Am/C G/B*	G/B	Am/C G/B*
'Cause you ain't seen			nothing yet.	

Chorus 2

         G/B   F/C
I'm a soul man, oh Lord,

         G/B
I'm a soul man, play it Steve

                F/C
I'm a soul man,   ha!

         G/B   B♭   C
I'm a soul man,   oh!

Verse 3

         G/B   Am/C G/B* G/B   Am/C G/B*
I was brought up   on a side street,

            G/B   Am/C G/B*   G/B   Am/C
And learned how to love   before I could eat.

G/B* G/B   Am/C G/B* G/B   Am/C G/B*
I was educated   at Woodstock,

         G/B   Am/C G/B*   G/B   Am/C G/B*
When I start loving,   oh I can't stop.

Chorus 3

         G/D   F/C
I'm a soul man, I'm gonna get ya, yeah I am,

         G/D
I'm a soul man,

               F/C
I'm a soul man,   yeah,

         G/D   B♭ C
I'm a soul man,

Bridge

E♭   B♭
Grab the rope, and I'll pull you in,

C   D11
Give you hope, and be your only boyfriend.

E♭7
Yeah, yeah, yeah, yeah.

Link

A♭/E♭	G♭/D♭	C♭/G♭	D♭/A♭ E♭/B♭ ‖

Hey!

Outro

        (E♭/B♭)   A♭/C   B♭m/D♭
I'm talkin' about a Soul man,

      ‖: A♭/C* A♭/C   B♭m/D♭
I'm a Soul man.   :‖   *Repeat ad lib. to fade*

Strange Brew

Words & Music by Eric Clapton, Felix Pappalardi & Gail Collins

A   D9   E7♯9   D7♯9   A9

(2 bar count in)

Intro
| A | A | A | A |

| D9 | D9 | A | A |

E7♯9   D7♯9   A
Strange brew, killin' what's inside of you. _____

Verse 1

           A   D9
She's a witch of trouble in electric blue,

        A   D9
In her own mad mind she's in love with you, with you.

                   A
Now what you gonna do?

E7♯9   D7♯9   A
Strange brew, killin' what's inside of you. _____

Verse 2

           A   D9
She's some kind of demon messin' in the glue,

        A   D9
If you don't watch out it'll stick to you, to you.

                   A
What kind of fool are you?

E7♯9   D7♯9   A
Strange brew, killin' what's inside of you. _____

Solo
| A | A | A | A |

| D9 | D9 | A | A |

| E7♯9 | D7♯9 | A | A ||

Verse 3

A   D9
On a boat in the middle of a raging sea

           A   D9
She would make a scene for it all to be ignored.

                     A
And wouldn't you be bored?

E7♯9   D7♯9   A   N.C.
Strange brew, killin' what's inside of you. ____

Coda

A   D9
Strange brew,

A
Strange brew.

D9   D7♯9
Strange brew,

A
Strange brew,

E7♯9   D7♯9   A N.C. A9
Strange brew, killin' what's inside of you. ____

Summer In The City

Words & Music by John Sebastian, Mark Sebastian & Steve Boone

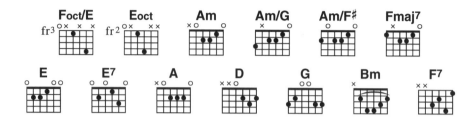

Capo third fret

Intro	‖ Foct/E Eoct ｜ Foct/E Eoct ｜ Foct/E Eoct ‖

Verse 1

Am   Am/G
   Hot town, summer in the city

Am/F♯   Fmaj7   E
Back of my neck getting burnt and gritty,

Am   Am/G
   Been down, isn't it a pity,

Am/F♯   Fmaj7
Doesn't seem to be a shadow in the city.

E   E7
   All around people looking half dead

Am   A
Walkin' on the sidewalk, hotter than a match head...

Chorus 1

D   G
   But the night it's a different world,

D   G
   Go out and find a girl,

D   G
Come on, come on and dance all night,

D   G
Despite the heat it'll be alright.

     Bm   E
And babe, don't you know it's a pity

     Bm   E
The days can't be like the nights,

       Bm   E
In the summer, in the city,

       Bm   E
In the summer, in the city.

Verse 2

<pre>
Am   Am/G
    Cool town, evening in the city
Am/F♯   Fmaj7   E
Dress so fine and looking so pretty
Am   Am/G
    Cool cat, looking for a kitty
Am/F♯   Fmaj7
Gonna look in every corner of the city
E   E7
    Till I'm wheezing like a bus stop
Am   A
Running up the stairs, gonna meet you on the rooftop.
</pre>

Chorus 2   As Chorus 1

Instr. | Am | F7 | Am | F7 | N.C.   ‖

‖: Am Am/G | Am/F♯ Fmaj7 E :‖

Verse 3   As Verse 1

Chorus 3   As Chorus 1

Outro | Am | F7 | Am | F7 | N.C.   ‖

‖: Am Am/G | Am/F♯ Fmaj7 E :‖ *Play 4 times*

| E   E7 | Am A |$\frac{2}{4}$ A   ‖

$\frac{4}{4}$ ‖: Bm | A   :‖ *Repeat to fade*

155

Teen Angel

Words & Music by Jean Surrey

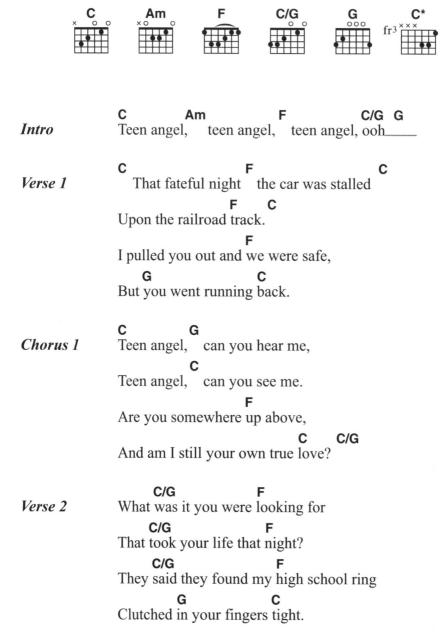

Intro
| C | | Am | | F | | C/G | G |
Teen angel, teen angel, teen angel, ooh_____

Verse 1
| C | | | F | | | C |
That fateful night   the car was stalled
| | | F | C |
Upon the railroad track.
| | F |
I pulled you out and we were safe,
| G | | C |
But you went running back.

Chorus 1
| C | | G |
Teen angel,   can you hear me,
| | C |
Teen angel,   can you see me.
| | F |
Are you somewhere up above,
| | | C | C/G |
And am I still your own true love?

Verse 2
| C/G | | | F |
What was it you were looking for
| C/G | | | F |
That took your life that night?
| C/G | | | F |
They said they found my high school ring
| G | | C |
Clutched in your fingers tight.

Chorus 2   As Chorus 1

                       C/G   F

Verse 3   Just sweet sixteen, and now you're gone,

                         C/G   F

         They've taken you a - way.

                     C/G   F

         I'll never kiss your lips again,

                   G   C

         They buried you to - day.

               C   G

Chorus 3   Teen angel,   can you hear me,

                     C

         Teen angel,   can you see me.

                         F

         Are you somewhere up above,

                               C

         And am I still your own true love?

                     Am   F   G   C   C* C**

Outro   Teen angel,   teen angel,   ans - wer me, please.

Sunshine Superman

Words & Music by Donovan Leitch

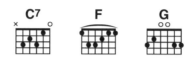

Capo first fret

Intro

| C7 | C7 | C7 | C7 | |

| C7 | C7 | C7 | C7 | |

Verse 1

C7
Sunshine came softly through my window today.

Could've tripped out easy but I've, I changed my way.
F
　It'll take time I know it, but in a while
C7
　You're gonna be mine I know it, we'll do it in style.

Chorus 1

G　　　　　　　　　　　　　　　**F**　　　　　　　　　　**C:**
'Cause I made my mind up you're going to be mine, I'll tell you right no

Any trick in the book now baby, oh that I can find.

Verse 2

C7
Superman or Green Lantern ain't got nothin' on me,

I can make like a turtle and dive for pearls in the sea.
F
　Ah, you can just sit there thinkin' on your velvet throne, yes,
C7
　About all the rainbows that you can have for your own.

Chorus 2

G　　　　　　　　　　　　　　　**F**
'Cause I made my mind up you're going to be mine,
　　　　　　　　　C7
I'll tell you right now

Any trick in the book now baby, oh that I can find.

Verse 3

C7
Everybody's hustlin' just to have a little scene.

When I say we'll be cool, I think that you know what I mean.
F
   We stood on a beach at sunset, do you remember when?
C7
   I know a beach where baby oh, it never ends.

Chorus 3

G   F
When you've made your mind up, for - ever to be mine,
                    C7
Mm - mm - mm - mm,

I'll pick up your hand and slowly blow your little mind.
G   F
'Cause I made my mind up, you're going to be mine,
                 C7
I'll tell you right now,

Any trick in the book now baby, oh that I can find.

Guitar solo

C7	C7	C7	C7
C7	C7	C7	C7
F	F	F	F
C7	C7	C7	C7
G	G	F	F
C7	C7	C7	C7 ‖

Verse 4
C7
Superman or Green Lantern ain't got a nothin' on me.

I can make like a turtle and dive for your pearls in the sea, yep.
F
   Ah you, you, you, can just sit there well thinkin' on your velvet thro.
C7
   About all the rainbows a-you can a-have for your own.

G   F
Chorus 4   When you've made your mind up for - ever to be mine,
                      C7
Mm - mm - mm - mm,

I'll pick up your hand and slowly blow your little mind.
G   F
When you've made your mind up, for - ever to be mine,
                      C7
I'll pick up your hand,

I'll pick up your hand and slowly blow your little mind,

Blow your little mind...

Outro | C7 | C7 | C7 | C7   ‖ *To fade*

Tell Him

Words & Music by Linda Thompson, Walter Afanasieff & David Foster

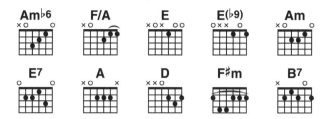

Tune guitar slightly sharp
Capo third fret

Intro | Am Am♭6 | Am Am♭6 | E   E(♭9) | E   E(♭9) ‖

Verse 1
Am   **E7**
I know something about love,
                          Am
Gotta want it bad,
                                      E7
If that man's got into your blood,

Go out and get him.

Pre-chorus 1
A
If you want him to wake
D
The very part of you
A
That makes you want to breathe
E7
Here's the thing to do:

Chorus 1
A
Tell him that you're never gonna leave him
D
Tell him that you're always gonna love him,
A   **E7**   **Am Am♭6 | Am Am♭6 |**
Tell him, tell him, tell him, tell him right now.

| | Am | E⁷ |

Verse 2
    Am   **E⁷**
   I know something about love,

        Am
   Gotta show him and

           E⁷
   Make him see that moon a - bove

   Reach out and get it.

Pre-chorus 2
   A
   If you want him to be
   D
   Right by your side
   A
   If you want him to
   E⁷
   Only think of you.

Chorus 2   As Chorus 1

Bridge
     A
   Ever since the world began
   F♯m
   It's been that way for man
     D   **E⁷**
   And women were created
       A
   To make love their destiny,
   D   **B⁷**   **E⁷**
   Then why should true love be so compli - cated?

   Oh yeah,

Verse 3
   Am   **E⁷**
   I know something about love
        Am
   You gotta take it and
           E⁷
   Show him what the world's made of,

   One kiss will prove it.

Pre-chorus 3

    A
If you want him to be

D
Always by your side,

A
Take his hand tonight,

E⁷
And swallow your foolish pride,

Chorus 3

A
Tell him that you're never gonna leave him

D
Tell him that you're always gonna love him,

A   **E⁷**   **A**
Tell him, tell him, tell him, tell him right now.

Oh yeah,

Tell him that you're never gonna leave him

D
Tell him that you're always gonna love him,

A   **E⁷**   **A**
Tell him, tell him, tell him, tell him right now.   *Fade out*

This Wheel's On Fire

Words by Bob Dylan
Music by Rick Danko

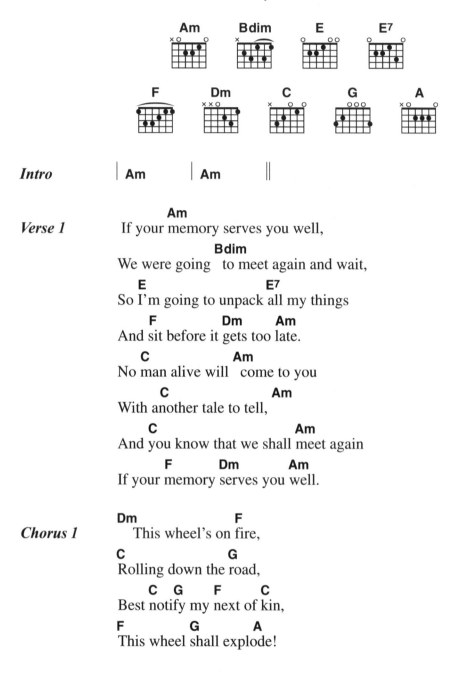

Intro | Am | Am ‖

Verse 1
              Am
If your memory serves you well,
             Bdim
We were going   to meet again and wait,
   E   **E7**
So I'm going to unpack all my things
      F   **Dm**   **Am**
And sit before it gets too late.
     C   **Am**
No man alive will   come to you
       C   **Am**
With another tale to tell,
      C   **Am**
And you know that we shall meet again
      F   **Dm**   **Am**
If your memory serves you well.

Chorus 1
  Dm   **F**
This wheel's on fire,
C   **G**
Rolling down the road,
    C **G**   **F**   **C**
Best notify my next of kin,
F   **G**   **A**
This wheel shall explode!

Verse 2

Am
If your memory serves you well,

       Bdim
I was going   to confiscate your lace,

    E   E7
And wrap it up in a sailor's knot

    F   Dm   Am
And hide it in your case.

   C   Am
If I knew for sure that it was yours

        C   Am
But it was   oh so hard to tell.

   C   Am
And you knew that we shall meet again,

     F   Dm   Am
If your memory serves you well.

Chorus 2   As Chorus 1

Verse 3

      Am
If your memory serves you well,

    Bdim
You'll remember you're the one

    E   E7
That called on me to call on them

   F   Dm   Am
To get you your favours done.

    C   Am
And after every plan had failed

    C   Am
And there was nothing more to tell,

    C   Am
You knew that we should meet again,

     F   Dm   Am
If your memory served you well.

Chorus 3

Dm   F
  This wheel's on fire,

   C   G
It's rolling down the road,

    C G   F   C
Best notify my next of kin,

F   G   A
This wheel shall explode!

Time Is On My Side

Words & Music by Norman Meade

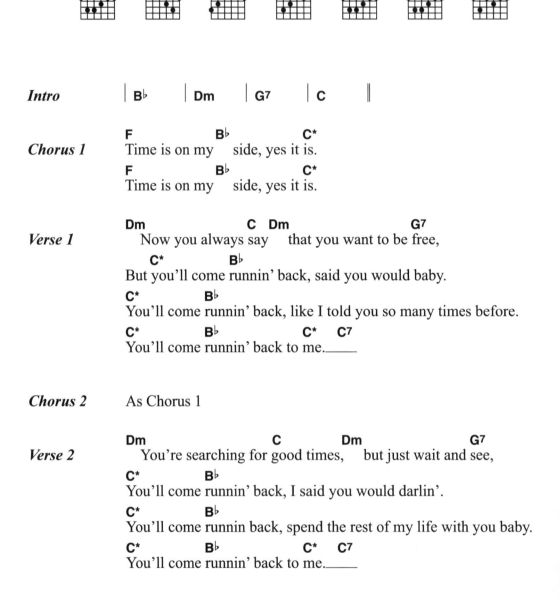

Intro | Bb | Dm | G7 | C |

Chorus 1
F   Bb   C*
Time is on my side, yes it is.
F   Bb   C*
Time is on my side, yes it is.

Verse 1
Dm   C Dm   G7
 Now you always say that you want to be free,
   C*   Bb
But you'll come runnin' back, said you would baby.
C*   Bb
You'll come runnin' back, like I told you so many times before.
C*   Bb   C* C7
You'll come runnin' back to me._____

Chorus 2   As Chorus 1

Verse 2
Dm   C   Dm   G7
 You're searching for good times, but just wait and see,
C*   Bb
You'll come runnin' back, I said you would darlin'.
C*   Bb
You'll come runnin back, spend the rest of my life with you baby.
C*   Bb   C* C7
You'll come runnin' back to me._____

Bridge 1

B♭
Go ahead baby, go ahead,

F
Go ahead and light up the town.

B♭   **F**
Baby, do anything your heart desires,

Remember, I'll always be around.

B♭   **Dm**
    And I know, and I know, like I told you so many times before,

You're gonna come back,

G⁷
Yeah, you're gonna come back baby,

               C
Knockin', yeah knockin' right on my door, yeah.

Chorus 3   As Chorus 1

Verse 3

Dm   **C**   **Dm**   **G⁷**
   'Cause I got the real love,   the kind that you need.

C*   **B♭**
You'll come runnin' back, I knew you would one day.

C*   **B♭**
You'll come runnin' back, I told you before.

C*   **B♭**   **C***
You'll come runnin' back to me.____

Outro

         F   **B♭**   **C***
Yeah, time, time, time is on my   side, yes it is.

         F   **B♭**   **C***
Said time, time, time is on my   side, yes it is.

         F   **B♭**   **C F**
Said time, time, time is on my   side.____

25 Miles

Words & Music by Johnny Bristol, Harvey Fuqua & Edwin Starr

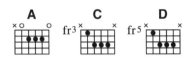

Intro

A
Come on feet

Start moving

Got to get me there

‖: A   C D | D C D C | A   C D | D C D C :‖

Verse 1

 A   **C   D**   **C D C**
Twenty five miles from home, girl

    A   **C D   C D C**
My feet are hurting might - y bad

           A
Now I've been walking for three days

  C   D   **C D**   **C**
And two lone - ly nights

    A   **C D   C D C**
You know that I'm might - y mad

    A   **C   D**   **C D**
But I got a woman wait - ing for me

C   **A**   **C   D**   **C D**
That's gonna make this trip worth - while

C   **A**   **C   D**   **C D**   **C**
You see she's got the kind of lov - ing and a - kissing

      A   **C   D**
A - make a man go stone wild

Chorus 1

     C D   **C A**
So I got to keep on

A   **C**   **D**
Walking, mmm - hmm

C D C   **A**   **C**
Huh, I got to walk on

D   **C D C**
Oh, ho____

cont.
```
A
```
I, I, I, I

I'm so tired

But I just can't lose my stride

Verse 2
```
        A           C D      C D
```
I got fifteen miles to go now
```
C         A                 C  D    C D
```
And I can hear my baby calling my name
```
C    A            C     D          C   D
```
It's as if as though I'm stand - ing at her front door
```
C    A  D           C    D    C D
```
I can hear her that dog - gone plain
```
C         A          C  D    C D
```
Now I'll be so glad to see my baby
```
C            A          C   D   C D
```
And hold her in my arms one more time
```
C         A
```
Now when I kiss her lips
```
   C    D       C   D
```
I turn a back over flip
```
C          A               C  D
```
And I'll for - get about these feet of mine

Chorus 2
```
        C D    C
```
I got to keep on
```
A        C   D   C    D
```
Walking,___ hey, whoo!
```
C      A       C D
```
I got to walk on
```
     C   D  C
```
Let me tell you, y'all
```
A
```
I, I, I, I

I'm so tired

But I just can't lose my stride

Instr. | A   C D | D C D C | A   C D | D C D C ‖

Verse 3

A
Come on feet don't fail me now

I got ten more miles to go

I got nine, eight, seven, six, six, six
                C D   **C**
I got a five more miles to go now
D   **C A**   **C D**   **C** **D**
Over the hill just around the bend, huh!
C   **A**   **C** **D**   **C** **D**
Although my feet are tired I can't lose my stride
C   **A**   **C D**
I got to get to my baby a - gain

Chorus 3

         C D **C**
I got to keep on
A   **C**   **D**
Walking, mmm-hmm
C D C   **A**   **C**
Hey, I got to walk on
D   **C D C**
Please, let me tell you, y'all
A
I, I, I, I

I'm so tired, huh!

But I just can't lose my stride
A   **C D C D**
Walking, yeah!
C   **A**   **C D**
I got to walk on
    C **D** **C**
Let me tell you, y'all
A
I see my baby just across the fence

Whoo!
A   **C** **D**   **C D**
Walking, hey, hey now
C   **A**   **C D**   **C**
I got to walk on, let me tell you, y'all
D **C**
Got to say

Two Little Boys

Words by Edward Madden
Music by Theodore Morse

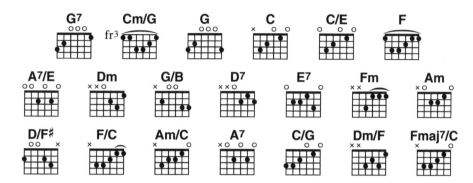

Capo first fret

Intro | G⁷ Cm/G | G   G⁷   ‖

Verse 1

C
Two little boys had two little toys,

C/E   F   A⁷/E
Each had a wooden horse,

Dm   C/E   Dm C   G/B
Gaily they played each summer's day,

D⁷   G   G⁷
Warriors, both of course!

C
One little chap then had a mishap,

C/E   E⁷   F   A⁷/E
Broke off his horse's head

Dm   Fm   C   E⁷   Am
Wept for his toy then cried with joy

G   D/F♯   D⁷   G   G⁷
As his young playmate said:

Chorus 1

        C   **F/C**   **C**   **F/C C**
"Did you think I would leave you crying

                   E7   **F**   **A7/E**
When there's room on my horse for two?

Dm   **Am/C**   **Dm**
Climb up here Jack, and don't be crying

      D7   **G**   **G7**
I can go just as fast with two.

        C   **F/C**   **C**   **F/C C**
When we grow up we'll both be   soldiers

             E7   **F**   **A7/E**
And our horses will not be toys

     Dm   **A7**   **D7**
And I wonder if we'll re - member

    C/G   **G7**   **C**
When we were two little boys?"

Verse 2

C
Long years passed, war came so fast,

Dm   **G**   **G7**
Bravely they marched away,

C   **F/C**   **C**   **Dm/F**   **A7/E**
Cannon roared loud and in the mad crowd

D7   **G**   **G7**
Wounded and dying lay,

C
Up goes a shout, a horse dashes out,

C/E   **E7**   **F**   **A7/E**
Out from the ranks so blue,

Dm   **Fm**   **C**   **E7 Am**
Gallops a - way to where Joe lay,

D   **G**
Then came a voice he knew:

Chorus 2
          C   F/C   C   F/C C
"Did you think I would leave you dying
                          E7   F   A7/E
When there's room on my horse for two?
Dm   Am/C   Dm
Climb up here Joe, we'll soon be flying
       D7   G   G7
I can go just as fast with two.
          C   F/C   C F/C C
Did you say Joe, I'm all a   tremble?
                  E7   F   A7/E
Perhaps it's the battles noise,
      Dm   A7   D7
But I think it's that I re - member
          C/G   G7   C   G7
When we were two little boys."

Chorus 3
          C/G   C
"Did you think I would leave you dying?
       C/E   E7   F   A7/E
There's room on my horse for two
Dm   Am/C   Dm
Climb up here Joe, we'll soon be flying
D7   G   G7
Back to the ranks so blue.
      C
Can you feel Joe, I'm all a tremble?
    C/E   E7   F   A7/E
Per - haps it's the battles noise.
      Dm   A7   D7
But I think it's that I re - member
      C/G   G7   C   G7
When we were two little boys."

Outro | **Fmaj7/C** | **C** | **C** | **(C)**   ‖

Viva Las Vegas

Words & Music by Doc Pomus & Mort Shuman

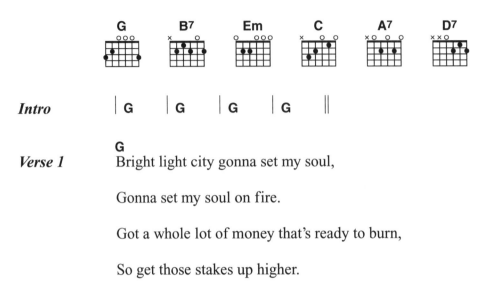

Intro | G | G | G | G ||

Verse 1
G
Bright light city gonna set my soul,

Gonna set my soul on fire.

Got a whole lot of money that's ready to burn,

So get those stakes up higher.
      B7 Em
There's a   thousand pretty women waitin' out there

And they're all livin' devil-may-care,

And I'm just the devil with love to spare, so:

      C   G   C   G
Chorus 1 Viva Las Vegas, viva Las Vegas.

Verse 2
G
How I wish that there were more

Than the twenty-four hours in the day,

'Cause even if there were forty more

I wouldn't sleep a minute away.
  B7   Em
Oh, there's black jack and poker and the roulette wheel,

A fortune won and lost on ev'ry deal,

All you need's a strong heart and a nerve of steel.

Chorus 2

      C   G   C   G
Viva Las Vegas, viva Las Vegas.

Bridge

      C
Viva Las Vegas with your neon flashin'

And your one-arm bandits crashin'
G
All those hopes down the drain.
      C
Viva Las Vegas turnin' day into night-time,

Turnin' night into daytime,
        A^7
If you see it once

                        D^7
You'll never be the same again.

Verse 3

             G
I'm gonna keep on the run,

I'm gonna have me some fun

If it costs me my very last dime.

If I wind up broke up, well,

I'll always remember that I had a swingin' time.
B^7 Em
      I'm gonna give it ev'rything I've got,

Lady luck, please let the dice stay hot,

Let me shoot a seven with ev'ry shot.

Chorus 3

      C   G   C   G   C   G
Viva Las Vegas, viva Las Vegas, viva Las Vegas,
      C D^7 G
Viva, viva Las Vegas. _____

Coda   ‖: G | G | G | G   :‖ *Repeat to fade*

Waterloo Sunset

Words & Music by Ray Davies

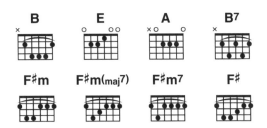

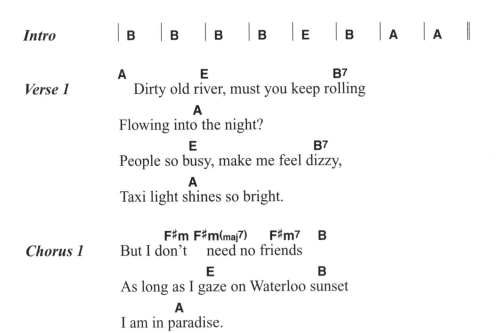

Intro | B | B | B | B | E | B | A | A ‖

Verse 1

    A   E   B7

Dirty old river, must you keep rolling

                A

Flowing into the night?

                E   B7

People so busy, make me feel dizzy,

              A

Taxi light shines so bright.

Chorus 1

            F#m F#m(maj7)   F#m7 B

But I don't   need no friends

                 E   B

As long as I gaze on Waterloo sunset

            A

I am in paradise.

Bridge 1

$\quad$ A$\quad$E F♯$\qquad\qquad\qquad\qquad\qquad\qquad\qquad\qquad$ B$\qquad\qquad$ E
(Sha-la-la) Every day I look at the world from my window.

$\quad$ A$\quad$E F♯
(Sha-la-la) But chilly, chilly is the evening time,

$\quad$ B
Waterloo sunset's fine, (Waterloo sunset's fine.)

Verse 2

$\qquad\qquad\qquad\qquad\qquad$ E$\qquad\qquad\qquad$ B7
Terry meets Julie, Waterloo Station,

$\qquad\qquad\qquad$ A
Every Friday night.

$\qquad\qquad\qquad\qquad\qquad$ E$\qquad\qquad\qquad\qquad$ B7
But I am so lazy, don't want to wander,

$\qquad\qquad\qquad$ A
I stay at home at night.

Chorus 2

$\qquad\qquad\qquad\qquad$ F♯m F♯m(maj7)$\quad$ F♯m7 B
But I don't$\quad$feel$\quad$afraid

$\qquad\qquad\qquad\qquad\qquad$ E$\qquad\qquad\qquad$ B
As long as I gaze on Waterloo sunset

$\qquad\qquad\qquad$ A
I am in paradise.

Bridge 2$\qquad$As Bridge 1

Verse 3

$\qquad\qquad\qquad\qquad\qquad$ E$\qquad\qquad\qquad\qquad$ B7$\qquad\qquad\qquad\qquad$ A
Millions of people swarming like flies 'round Waterloo Underground,

$\qquad\qquad\qquad\qquad\qquad$ E$\qquad\qquad\qquad\qquad$ B7
But Terry and Julie cross over the river

$\qquad\qquad\qquad$ A
Where they feel safe and sound.

Chorus 3

$\qquad\qquad\qquad\qquad$ F♯m F♯m(maj7)$\qquad$ F♯m7$\quad$ B
And they don't$\quad$need no friends

$\qquad\qquad\qquad\qquad\qquad$ E$\qquad\qquad\qquad\qquad$ B
As long as they gaze on Waterloo sunset

$\qquad\qquad\qquad$ A
They are in paradise.

Link$\qquad$| E$\quad$| B$\quad$| A$\quad$||

Coda

$\quad$ B7
$\qquad$Waterloo sunset's fine.$\quad$*Repeat to fade*

We Can Work It Out

Words & Music by John Lennon & Paul McCartney

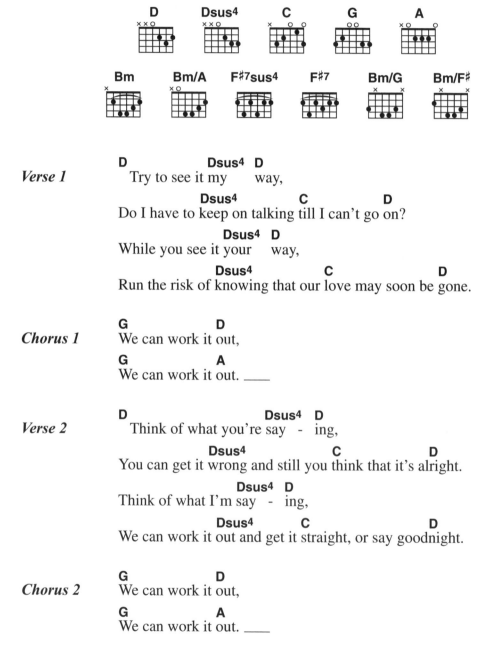

Verse 1

D   Dsus4 D
Try to see it my way,

      Dsus4   C   D
Do I have to keep on talking till I can't go on?

        Dsus4 D
While you see it your way,

      Dsus4   C   D
Run the risk of knowing that our love may soon be gone.

Chorus 1

G   D
We can work it out,

G   A
We can work it out. ____

Verse 2

D   Dsus4 D
Think of what you're say - ing,

      Dsus4   C   D
You can get it wrong and still you think that it's alright.

       Dsus4 D
Think of what I'm say - ing,

      Dsus4   C   D
We can work it out and get it straight, or say goodnight.

Chorus 2

G   D
We can work it out,

G   A
We can work it out. ____

Bridge 1

```
         Bm                    Bm/A      G      F♯7sus4
         Life is very short, and there's no time ____
            F♯7         Bm              Bm/A  Bm/G  Bm/F♯
         For fussing and fighting, my friend.
         Bm                         Bm/A  G      F♯7sus4
         I have always thought that it's a   crime, ____
            F♯7   Bm       Bm/A    Bm/G  Bm/F♯
         So I will ask you once a - gain.
```

Verse 3

```
         D             Dsus4  D
           Try to see it my      way,
                     Dsus4     C              D
         Only time will tell if I am right or I am wrong.
                       Dsus4  D
         While you see it your     way,
                          Dsus4        C              D
         There's a chance that we might fall apart before too long.
```

Chorus 3

```
         G          D
         We can work it out,
         G               A
         We can work it out. ____
```

Bridge 2   As Bridge 1

Verse 4

```
         D             Dsus4  D
           Try to see it my      way,
                     Dsus4     C              D
         Only time will tell if I am right or I am wrong.
                       Dsus4  D
         While you see it your     way,
                          Dsus4        C              D
         There's a chance that we might fall apart before too long.
```

Chorus 4

```
         G             D
         We can work it out,
         G               A
         We can work it out. ____
```

```
         | D       | D       ‖
```

What A Wonderful World

Words & Music by George Weiss & Bob Thiele

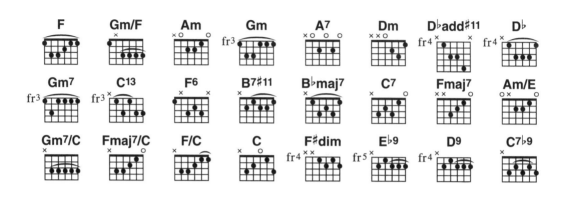

Intro | F | Gm/F | F | Gm/F ‖

Verse 1
          F   Am B♭   Am
I see trees of green,   red roses too.
    Gm   F   A7   Dm
   I see them bloom,   for me and you,

Chorus 1
             D♭add♯11   D♭
And I think to myself,
    Gm7   C13   F6 | B7♯11 | B♭maj7 | C7 ‖
What a wonderful world.

Verse 2
          F   Am B♭   Am
I see skies of blue,   and clouds of white,
    Gm   F   A7   Dm
   The bright blessed day,   the dark sacred night,

Chorus 2
           D♭add♯11   D♭
And I think to myself,
    Gm7   C7   Fmaj7 | Gm/F | Gm/F | F Am/E ‖
What a wonderful world.

Bridge

Gm7/C   C7   Fmaj7/C   F/C
The colours of the rainbow,   so pretty in the sky,

Gm7/C   C7   F
Are also on the faces   of people goin' by,

Dm   Am/E   F   C
I see friends shaking hands, saying, "How do you do?"

Dm   F#dim   Gm   C7
They're really saying, "I love you."

Verse 3

F   Am B♭   Am
I hear babies cry,   I watch them grow,

Gm   F   A7   Dm
They'll learn much more,   than I'll ever know,

Chorus 3

D♭add#11   D♭
And I think to myself,

Gm7   C13   F | E♭9 | D9 | D9   ‖
What a wonderful world

Gm7   C7♭9
Yes I think to myself,

F
What a wonderful world.

White Rabbit

Words & Music by Grace Slick

Intro ‖: F♯ | F♯ | G | G :‖ *Play 3 times*

Verse 1

    F♯
    One pill makes you larger,
    G
And one pill makes you small
      F♯
And the ones that mother gives you,
    G
Don't do anything at all

Chorus 1

      A
Go ask Alice,
   C   **D**   **A**
   When she's ten feet tall.

Verse 2

     F♯
And if you go chasing rabbits,
     G
And you know you're going to fall,
      F♯
Tell 'em a hookah-smoking caterpillar
  G
Has given you the call.

Chorus 2

      A
And call Alice,
   C   **D**   **A**
   When she was just small.

Middle

      E
      When the men on the chessboard

          A
Get up and tell you where to go,

         E
And you've just had some kind of mushroom

         A
And your mind is moving low.

Chorus 3

        F♯
Go ask Alice,

I think she'll know.

Verse 3

F♯
     When logic and proportion

       G
Have fallen sloppy dead

        F♯
And the white knight is talking backwards

       G
And the red queen's off with her head.

Outro

   A   **C**   **D**   **A**
Remember   what the dormouse said,

  E   **A**   **E**   **A**
"Feed your head, feed your head."

With A Girl Like You

Words & Music by Reg Presley

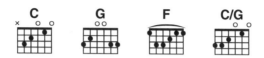

Tune guitar slightly flat

Intro | Em⁹ | Em⁹ | Em⁹ | Em⁹ ‖

Verse 1

C/G   G   C/G
I want to spend my life with a girl like you
        G
Ba ba ba ba ba,   ba ba ba ba,
C/G   G   C/G
And do all the things that you want me to
        G
Ba ba ba ba ba,   ba ba ba ba.
F   G
   Till that time has come,
     F   G
And we might live as one,
                 C/G
Can I dance with you?
        G
Ba ba ba ba ba,   ba ba ba ba,
C/G   G
   Ba ba ba ba ba,   ba ba ba ba.

Verse 2

C/G   G   C/G
I tell by the way you dress that you're so real fine,
        G
Ba ba ba ba ba,   ba ba ba ba
C/G   G   C/G
And by the way you talk, that you're just my kind.
        G
Ba ba ba ba ba,   ba ba ba ba.
F   G
   Girl, why should it be

	F G
cont.	That you don't notice me?

                    C/G
Can I dance with you?

               G
Ba ba ba ba ba,   ba ba ba ba,

C/G   **G**
  Ba ba ba ba ba,   ba ba ba ba.

         F

Bridge   Baby, baby is there no chance

         C
    I can take you for the last dance

         F
    All night long, yeah, I've been waiting,

         G
    Now there'll be no hesitating.

         C/G   **G**   **C/G**

Verse 3   So, before this dance has reached the end,

               G
Ba ba ba ba ba,   ba ba ba ba,

     C/G   **G**   **C/G**
To you, across the floor, my love I'll send

               G
Ba ba ba ba ba,   ba ba ba ba.

F   **G**
    I just hope and pray

       F   **G**
That I'll find a way to say,

                    C/G
Can I dance with you?

               G
Ba ba ba ba ba,   ba ba ba ba,

C/G   **G**
  Ba ba ba ba ba,   ba ba ba ba.

Fade out

Wondrous Place

Words & Music by Bill Giant & Jeff Lewis

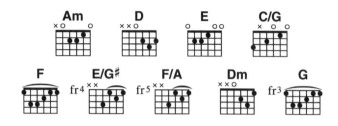

Intro
| Am D | Am D | Am D | Am D ‖

Verse 1

```
Am          D          Am        D
  I found a place full of charms,_____
Am          D          Am        E
  A magic world in my baby's arms.
Am           C/G        F          E/G♯ F/A
  Her soft em - brace like satin and lace,
N.C.
A wondrous place.
```

Verse 2

```
Am          D          Am     D
  What a spot in a storm_____
Am          D          Am          E
  To cuddle up and stay nice and warm.
Am           C/G        F          E/G♯ F/A
  Away from harm in my baby's arms,
N.C.
Wondrous place.
```

Bridge 1

```
Dm                                 Am
  Man I'm nowhere when I'm anywhere else,
Dm      G          F
  But I    don't care, everything's right when she holds me tight.
```

Verse 3

```
Am            D            Am   D
    Her tender hands on my face,
Am      D       Am      E
    I'm in heaven in her em - brace.
Am        C/G          F          E/G♯  F/A
    I wanna stay and ne - ver go a - way,
N.C.
Wondrous place.
```

Verse 4

```
Am D   Am D
Mmmm,_____
Am D   Am E
Mmmm,_____
Am C/G  F E/G♯ F/A
Mmmm,_____
N.C.
A wondrous place.
```

Bridge 2   As Bridge 1

Verse 5   As Verse 3

Outro

```
   Am   D  Am   D
‖: Mmmm,_____
Am   D  Am   D
Mmmm,_____ :‖   Repeat to fade
```

Wooly Bully

Words & Music by Domingo Samudio

Intro

A
Uno, dos, one, two, tres, quatro.

G7	G7	G7	G7	
C7	C7	G7	G7	
D7	C7	G7	G7	‖

Verse 1

G7
Matty told Hatty about a thing she saw.

Had two big horns and a wooly jaw.

   C7   **G7**
Wooly bully, wooly bully.

   D7   **C7**   **G7** **D7**
Wooly bully, wooly bully, wooly bully.

Verse 2

G7
Hatty told Matty, "Let's don't take no chance.

Let's not be L-seven, come and learn to dance."

   C7   **G7**
Wooly bully, wooly bully .

   D7   **C7**   **G7** **D7**
Wooly bully, wooly bully, wooly bully.

Bridge | G⁷* | G⁷* | G⁷* | G⁷* ‖

Sax solo | G⁷ | G⁷ | G⁷ | G⁷ |

| C⁷ | C⁷ | G⁷ | G⁷ |

| D⁷ | C⁷ | G⁷ | G⁷ ‖

Verse 3

G⁷
Matty told Hatty, "That's the thing to do.

Get you someone really to pull the wool with you."

    C⁷   G⁷
Wooly bully, wooly bully.

    D⁷   C⁷   G⁷   D⁷
Wooly bully, wooly bully, wooly bully.

Outro | G⁷* | G⁷* | G⁷* | G⁷* ‖

You're No Good

Words & Music by Clint Ballard

Intro
| Dm Gm | Dm A⁷ | Dm Gm | Dm A⁷ ‖

Verse 1

Dm   G   Dm   G
Feeling bet - ter, now that we're through,

Dm   G   Dm   G
Feeling bet - ter, 'cause I'm over you.

    B♭   C   F
I've learned my lesson, it left a scar,

     Dm E   A⁷
And now I see how you really are.

Chorus 1

(A⁷)   Dm   G   Dm G   Dm
You're no good, you're no good, you're no good, baby, you're no goo

     Dm   G
I'm gonna say it a - gain.

    Dm   G   Dm G   Dm
You're no good, you're no good, you're no good, baby, you're no goo

   Dm G
Mmmm._____

Verse 2

Dm   G   Dm   G
Broke a heart, it was gentle and true,

   Dm G   Dm   G
I left a girl for someone like you.

     B♭   C   F
I'll beg for for - giveness on bended knee,

     Dm   E   A⁷
But I wouldn't blame her if she said to me.

(A7)   Dm   G   Dm   G   Dm G
It's no good, it's no good, it's no good, baby, it's no good.

           Dm   G
I'm gonna say it again.

           Dm   G   Dm   G   Dm G
It's no good, it's no good, it's no good, baby, it's no good.

      Dm   G
Mmmm no good.

| Dm G | Dm G | Dm G | Dm G ‖

           Bb   C   F
Mmmm, if she'll have me, we'll start anew,

Dm   E   A7
It'll be easy for - geting you.

(A7)   Dm   G   Dm   G   Dm G
You're no good, you're no good, you're no good, baby, you're no good.

           Dm   G
I'm gonna say it a - loud.

           Dm   G   Dm   G   Dm G
You're no good, you're no good, you're no good, baby, you're no good.

G   Dm G
Oh, oh,   oh.

(G)   Dm   G   Dm   G
I'm foolin' you now baby and I'm going a - way,

         Dm   G   Dm   G
For - get about you baby, I'm leaving to stay.

(G)   Dm   G   Dm   G   Dm
You're no good, you're no good, you're no good, baby, you're no good.

G   Dm G
Hey, hey, hey.

           Dm   G   Dm
You're no good, you're no good, you're no good, baby,

       G   Dm G D
       you're no good._____

191

Relative Tuning

The guitar can be tuned with the aid of pitch pipes or dedicated electronic guitar tuners which are available through your local music dealer. If you do not have a tuning device, you can use relative tuning. Estimate the pitch of the 6th string as near as possible to E or at least a comfortable pitch (not too high, as you might break other strings in tuning up). Then, while checking the various positions on the diagram, place a finger from your left hand on the:

5th fret of the E or 6th string and **tune the open A** (or 5th string) to the note (A)

5th fret of the A or 5th string and **tune the open D** (or 4th string) to the note (D)

5th fret of the D or 4th string and **tune the open G** (or 3rd string) to the note (G)

4th fret of the G or 3rd string and **tune the open B** (or 2nd string) to the note (B)

5th fret of the B or 2nd string and **tune the open E** (or 1st string) to the note (E)

E	A	D	G	B	E
or	or	or	or	or	or
6th	5th	4th	3rd	2nd	1st

Head

Nut

1st Fret

2nd Fret

3rd Fret

4th Fret — (B)

5th Fret — (A) (D) (G) (E)

Reading Chord Boxes

Chord boxes are diagrams of the guitar neck viewed head upwards, face on as illustrated. The top horizontal line is the nut, unless a higher fret number is indicated, the others are the frets.

The vertical lines are the strings, starting from E (or 6th) on the left to E (or 1st) on the right.

The black dots indicate where to place your fingers.

Strings marked with an O are played open, not fretted. Strings marked with an X should not be played.

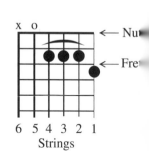

x o ← Nut
← Fret

6 5 4 3 2 1
Strings

The curved bracket indicates a 'barre' - hold down the strings under the bracket with your first finger, using your other fingers to fret the remaining notes.

192